de
D0504652

Mirjam Oldenhave

Belly B

Uitgeverij Ploegsma Amsterdam

www.mirjamoldehave.nl
www.ploegsma.nl

ISBN 978 90 216 6601 3 / NUR 283/284
Derde druk 2008

Omslagontwerp: Annemieke Groenhuijzen

Auteursfoto: Mark Sassen

Uitgeverij Ploegsma drukt haar boeken op papier met het FSC-keurmerk. Zo helpen we waardevolle oerbossen te behouden.

1

'Ik weet echt niets te verzinnen!' zuchtte Demi. Ze trok een pluk van de knalroze suikerspin uit het emmertje en propte die in haar mond.

'Doe het over de stilte,' zei Tiara. 'Dan zeg je: "Mijn spreekbeurt gaat over de stilte." En daarna hou je gewoon een kwartier je mond.'

Demi kreeg al rillingen bij het idee. 'Een kwartier lang niets zeggen terwijl iedereen naar je kijkt!'

'Juist leuk. Mag ik nog een stuk?' vroeg Tiara.

Heel langzaam slenterden ze terug naar school. Het was een bloedhete dag, zelfs de postbode liep in zijn korte broek.

Bij het hek van de school stond een lange, opvallende vrouw met pikzwart geverfd haar. Ze droeg een kort truitje. Je zag er net het puntje van een getatoeëerde slang onderuit komen.

'Die slang kronkelt zeker om haar borsten,' zei Tiara zacht.

Demi knikte. 'En alle mannen moeten daar meteen aan denken.'

'Daarom doet ze het juist,' zei Tiara.

Het leek wel of de vrouw hen stond op te wachten. 'Zeg, zitten jullie hier op school?' riep ze.

'Wij mogen in de pauze van het plein af, hoor!' zei Tiara meteen.

'Je gaat je gang maar.' De vrouw glimlachte. Ze had grote voortanden en in één daarvan glitterde een diamantje. 'Ik ben Jill, van Cast&Co.'

Meteen stond Tiara stokstijf stil. Demi hield haar adem in. Zou het nu dan echt gebeuren? Tiara stond ingeschreven bij een castingbureau dat 'de Kinderkast' heette. Ze hoopte op een rol in een film of in een reclame.

‘Ik ben Tiara en zij heet Demi.’ Tiara gaf Jill een hand.
‘Hoe?’ vroeg Jill aan Demi.
Demi herhaalde haar naam.
‘Hoe oud zijn jullie?’ vroeg Jill.
‘Dertien,’ zei Tiara.

‘Bijna,’ zei Demi.
‘Nou ja, bijna dan,’ zei Tiara.
En Jill maar glimlachen.
Stel je voor, je hebt zo’n diamantje laten inzetten en je lacht bijna nooit, dacht Demi. Mooi zonde. En er zijn natuurlijk ook mensen die met hun mond dicht lachen. Maar ja, dat weet je wel van jezelf, dus...
‘...en ik ben in jóú geïnteresseerd.’ Jill legde de nadruk op ‘jou’ en ze wees daarbij naar Demi.
‘In mij?’ vroeg Demi.
‘In haar?’ Tiara had dezelfde stomverbaasde toon.
Jill knikte, terwijl ze naar Demi keek als naar een kunstwerk.
‘Waarvoor dan?’ vroeg Tiara.
‘Ik mag nog niets verklappen,’ zei Jill, zonder haar blik van Demi af te wenden.
Tiara stond nu ook uitgebreid naar Demi te kijken, alsof ze dacht: Wat zíét die Jill dan?
Demi keek omlaag. Ze droeg vandaag een zwarte korte broek en een oranje hemd, niets bijzonders.
‘Wil je zo snel mogelijk naar de studio bellen?’ vroeg Jill. Ze gaf Demi een geel kaartje.
Cast&Co stond erop, en dan een adres met telefoonnummer. ‘Ik ben nog tot acht uur op de zaak. Dan maken we een afspraak, samen met je ouders. Je bent precies wat we zoeken, meid! Dag, tot gauw.’

Heel langzaam liepen ze het schoolplein op.
‘Bofkont,’ zei Tiara zacht.

Maar Demi voelde zich geen bofkont, ze voelde zich eerder een verrader. Ze had het gevoel dat ze een prijs voor Tiara's neus had weggekaapt. Het klopte gewoon niet. Alsof een slak een hardloopwedstrijd tegen een paard had gewonnen.

'Misschien zoeken ze iemand om een sukkel te spelen,' probeerde ze.

'Ach, natuurlijk niet.' Tiara klonk boos.

'Ik bel niet, hoor!' zei Demi daarom snel.

'Dan zou je wel mooi gek wezen!' riep Tiara. 'Het is toch hartstikke leuk! Misschien word je wel een filmster!'

'Voor sommige mensen is het leuk,' zei Demi. 'Maar niet voor mij. Ik krijg al diarree als ik over een maand een spreekbeurt moet houden.'

Tiara moest heel even lachen, toen zuchtte ze. 'Ik ben jaloers, man!'

Demi knikte. 'Zou ik ook zijn.'

Bah, wat akelig was dit.

'Ik moet er gewoon even aan wennen,' zei Tiara, terwijl ze over een vlekje op haar horlogebandje wreef.

'Ik bel niet,' zei Demi nog eens.

'Je moet het zelf weten, hoor!' zei Tiara.

'Ik weet het ook zelf,' antwoordde Demi.

'Kom.' Tiara liep de school in.

Demi keek haar na. Zelfs van achteren was ze een fotomodel, een danseres, een filmster.

Nee, Demi wist het zeker: ze ging niet bellen.

2

Demi vertelde het pas tijdens het avondeten aan haar ouders.

'Wow! Straks heb ik een beroemd zusje!' riep Robin.

'Vertelde ze niet waarvoor ze je wil hebben?' vroeg haar vader.

'Nee, ik moet haar zo bellen.'

'Je gaat geen reclamedingen doen, hoor!' waarschuwde haar moeder. 'Je bent twaalf!'

'Bijna dertien,' zei Demi.

'En ook geen sexy gedoe!' Haar moeder bewoog haar bovenlichaam, ze probeerde zeker een sexy dansje na te doen.

'Misschien zoeken ze wel een nieuwe Ieniemienie bij Sesamstraat,' zei haar vader. Hij moest er zelf om lachen.

'Ha, ha,' zei Demi.

'Vroeg ze niets aan Tiara? Zij is toch ook een heel mooi meisje?' vroeg haar moeder.

'Maar ze heeft wel een cliché-koppie, kijk maar in die meidenbladen, kijk maar op MTV. Allemaal dezelfde meisjes,' zei Robin. Eigenlijk woonde Demi met drie volwassenen in huis, want Robin was al achttien. 'Misschien zag die vrouw wel iets heel bijzonders in je. Je gaat toch zeker wel bellen?'

'Ik denk het wel,' zei Demi tot haar eigen stomme verbazing.

Nú, dacht ze om half acht. Ze zat al een half uur op haar bed met het kaartje in haar ene hand en de telefoon van beneden in de andere.

Alleen vragen waarvoor het is, meer niet, dacht ze. Ik ga echt geen reclamefilm maken, en sexy gedoe is al helemaal niets voor mij.

Maar als het nou iets leuks was? Bijvoorbeeld een rol in een mooie film? Ja hoor! Alsof ze haar dan zouden uitkiezen.

Maar als het nou een film was over een verlegen, gewoon, tikkeltje saai, niet al te lelijk meisje?

Doenk, doenk, doenk, deed haar hart. Nu al! Stel je voor dat ze echt iets spannends ging doen. Ze zou binnen een week dood zijn.

'En?' Robin stormde de kamer binnen. Hij droeg zijn kamerjas en had een handdoek om zijn hoofd gebonden. Robin ging even vaak onder de douche als naar de wc.

'Ehm, het bureau is opgeheven,' zei Demi.

'Ja ja.' Robin haalde zijn mobiel uit de zak van zijn kamerjas. 'Wat is het nummer?' Hij griste het kaartje uit haar hand en toetste met een razendsnelle duimbeweging het nummer in. Demi liet zich op bed vallen en legde het kussen op haar hoofd.

'Ja hallo, u spreekt met Robin van Maaren. Ik ben de broer van Demi. Bent u Jill?'

Ha, ha, ha! U dacht toch niet dat ik serieus was?

'O, hallo Jill. Ik wilde even vragen waarvoor ze auditie moet doen.' Robin praatte met de stem van een vlotte zakenman.

We zoeken een onopvallend meisje om koffie rond te brengen bij de artiesten.

Demi gluurde onder haar kussen door. Robin stond aandachtig te luisteren.

'Leuk zeg!' zei hij verrast. 'Echt iets voor mijn zusje!' Hij keek naar Demi en schreeuwde: 'Wáááá!!' maar dan zonder geluid. 'Ze kan best goed zingen,' ging hij rustig verder.

Wát??

Robin lachte. 'O, dat is helemaal makkelijk. Wilt u Demi zelf even hebben?'

'Nee, nee!!' fluisterde Demi. 'Nee, nee, nee, nee!'

'Hier komt ze.'

Shit!!

'Met Demi.' Slome stem.

'Hai, met Jill. Goed dat je belt, ik wil graag een afspraak met je maken. Even kijken, het is vandaag vrijdag... Kun je meteen morgen om elf uur? Je vader of moeder moet meekomen. Het is voor een popgroepje, Mark de Bont is de producer. We hebben al een zanger, maar we zoeken nog wat meiden voor op de achtergrond. Niet om te zingen hoor, maar gewoon om de boel wat op te leuken met pasjes en zo. Volgens mij ben jij het helemaal, je hebt echt charme. Tot morgen!'

'Ja,' zei Demi hees.

Robin trok de mobiel uit haar handen en drukte hem uit. 'Woeoeoe... hoe!!' schreeuwde hij, ditmaal mét geluid.

Demi lag in bed. Het was twaalf uur, ze moest allang slapen. Slapen, wat een belachelijk idee!

Ze stond op en liep naar de badkamer. Daar ging ze voor de grote spiegel staan. Wat zag die Jill nou toch in haar? Ze zakte door één heup en zette haar hand in haar zij. Even de pyjama wegdenken, natuurlijk...

Nou nee, niet wat je noemt een popster. Lang, dun en sprietterig. Alleen haar blonde haren, daar was ze echt trots op.

Ze hoefde dus niet eens zelf te zingen.

'Charrrrrme!' zei ze met getuite lippen. Ja hoor, de charme van een langpootspin, dat had ze.

Ze pakte de föhn en hield die als een microfoon bij haar mond.

Yes you, I love you too, zong ze zachtjes, terwijl ze in de spiegel keek.

You're the only one for me, baby can't you see...

'Wat sta jij nou te doen?' Daar stond Robin in zijn onderbroek, met slaperige ogen keek hij naar Demi.

Oeps...

Robin ging op de rand van het bad zitten. 'Je had zeker last van natte tanden, en toen dacht je: kom, ik zet de föhn er even op.'

Demi lachte. 'Ik ben zo zenuwachtig,' zei ze. 'Ik hou het haast niet meer.'

'Mens, geniet er nou van! Je moet trots zijn dat je eruit gepikt bent!' Robin gaapte en liep naar de deur. 'Nou, slaap lekker.'

'Slaap lekker,' zei Demi.

Zodra hij weg was keek ze weer in de spiegel. Voor de zoveelste keer dacht ze: Waarom ik? Waarom niet Tiara?

3

'Als je niet gaat, ben je mijn zus niet meer,' zei Robin.

Het was zaterdagochtend, Demi had haar pyjama nog aan. Ze vertelde het expres nu pas aan Robin, want hij wilde haar natuurlijk ompraten. Nou, dat zou niet lukken, haar besluit stond vast.

'Ik ga echt niet,' zei ze.

'Ik weet wel waarom je niet wilt.' Robin ging vlak voor Demi staan met zijn armen over elkaar. 'Tiara is jaloers en jij bent eigenlijk bang voor haar. Daarom ga je niet. Terwijl Tiara gewoon maling aan jou zou hebben. En je denkt ook dat je te saai bent voor zoiets. Maar die Jill is een vakvrouw die heus wel weet wie ze van straat plukt. Je gaat wel. Nou, wat trek je aan?'

Eén, twee, drie, vier, vijf keer de spijker op zijn kop. Demi's hoofd tolde ervan.

Ze zuchtte diep. En nog eens.

'Oké,' zei ze toen zacht. Ze kreeg het meteen weer ijskoud. 'Maar alleen om informatie te krijgen.'

Robin knikte. 'Klets jij maar,' betekende dat. Hij onderzocht snel haar klerenkast. Ook al was hij een jongen, hij wist meer van kleding dan Demi. Ook meer dan Tiara. Meer dan alle meisjes die Demi kende.

'Wat had je ook alweer aan toen je ontdekt werd?' vroeg hij.

Ontdekt werd!

'Een roze glitter-bh, een paars leren rokje en mijn witte bontlaarsjes, nou goed?'

Robin grijnsde. 'Dan moet je dat vandaag maar weer aantrekken.'

Dus deed Demi haar oranje hemd weer aan, met die zwarte korte broek eronder.

Robin wilde mee, en hun vader en moeder ook.

'Staat dat niet raar als we met zo veel komen?' vroeg Demi. 'Ik wil toch alleen maar informatie?'

Nee, dat vond Robin juist enthousiast staan.

Iets te vroeg stonden ze voor de deur van *Castingbureau Cast&Co.*

'Nou lieverd, daar gaat-ie dan,' zei Demi's moeder en ze drukte op de bel.

'Ik wil alleen maar informatie, hoor!' zei Demi.

Er klonk een luide zoemtoon, de deur was open. Met z'n allen schuifelden ze naar binnen, Robin voorop.

Het was een grote hal met een grote trap erin en een grote balie. Alles was van marmer.

'Kan ik jullie helpen?' vroeg een meisje achter de balie. Ze bekeek Robin van top tot teen.

Ze dacht zeker dat het om hem ging.

'We hebben een afspraak met Jill,' zei Demi's vader.

'En de naam is?'

'Demi,' zei Robin.

'Ja, ik zie het staan.' Het meisje pakte de telefoon. 'Ik heb hier Demi voor je.'

Demi voelde meteen weer een zenuwengolf door haar buik jagen. Waarom deed ze dit, waarom was ze hier?

'Ik wil alleen maar informatie,' zei ze.

'Als je dat nog één keer zegt, prop ik een rol wc-papier in je mond,' zei Robin.

'Ze komt eraan,' zei het meisje. 'Een ogenblikje.'

'Demi!' Als een galopperend paard kwam Jill de trap afgestormd. Ze had weer een kort truitje aan waar die slangenstaart onderuit kronkelde. Demi keek snel naar haar vader. Zou hij de hele slang voor zich zien? Ze kreeg ineens een rood hoofd van schaamte.

Jill schudde handen.

'Mijn vrouw kan heel goed Elvis Presley nadoen,' zei Demi's vader met een knipoog.

Ai...

Demi's moeder giechelde en Robin trok een gezicht alsof hij levende maden moest eten. Gelukkig deed Jill alsof ze het een leuk grapje vond. Ze wees naar een zitje in de hoek van de hal. 'Als jullie hier even willen plaatsnemen, dan stuur ik iemand met koffie en thee.'

Demi liep naar het bankje. 'Mam,' fluisterde ze. 'Wil jij heel duidelijk tegen Jill zeggen dat ik alleen maar...'

'En jij mag meteen met mij mee,' zei Jill.

Help! Demi keek naar Robin en wenkte met haar ogen.

'Alleen jij, graag,' zei Jill snel. 'Het gaat tenslotte om jou!'

'Succes Deem!' riep Robin.

'Ja, succes!' riepen hun ouders.

Oooo, waar ben ik mee bezig, dacht Demi voor de zoveelste keer. Op slappe benen liep ze achter Jill aan de trap op.

'Ik heb nog niet gezegd dat ik het doe, hoor!' zei ze wanhopig tegen de kuiten van Jill.

'Zo, hier naar links, het is die deur. Ben je zenuwachtig?' vroeg Jill zonnig.

'Een beetje,' zei Demi, terwijl ze haar best moest doen om niet door haar knieën te zakken.

Met een zwaai gooide Jill de deur open. 'Mark, hier is ze!'

Hij zat achterover in een stoel met zijn benen op het bureau. De grote Mark de Bont, producer van negentig procent van alle Nederlandse en Belgische tiener-popgroepen. Dat had Demi's vader op internet gelezen.

Naast hem zat een vrouw van een jaar of veertig, vijftig. Zo slordig als Mark de Bont in zijn stoel hing, zo keurig zat zij erbij. Rechtop, voeten naast elkaar, handen op haar schoot. Ze had een enorme onderkin, alsof ze een sjaaltje van vlees droeg.

In de hoek stond een man achter een camera. Hij hield één oog dichtgeknepen en richtte de lens meteen op Demi, alsof het de loop van een geweer was. 'Niet op mij letten!' zei hij.

'Hoi,' zei Mark de Bont, zonder overeind te komen. Hij leek op zo'n knappe man uit een bier- of sigarettenreclame.

'Loop maar naar hem toe,' zei Jill.

Dan konden ze natuurlijk zien of ze sexy liep.

Lopen, hoe ging dat ook alweer? Gewoon om de beurt je benen naar voren zetten. En ging je rechterarm met je rechterbeen mee, of juist niet?

'Toe maar,' lachte Jill.

Als een houten pop liep Demi naar het bureau toe. 'Hallo.' Ze gaf Mark de Bont een koude, natte hand.

'Spannend, hè?' vroeg hij.

Ze knikte. Nee, ze schokte. Haar lichaam deed niet meer normaal! En dat werd allemaal opgenomen door die cameraman. En ze moest zo ontzettend plassen.

De mevrouw stond wel op om Demi een hand te geven. 'Dag Demi.' Ze zei haar naam niet, maar ze had wel een lieve stem.

'Wil je nog even naar de muur lopen?' vroeg de cameraman.

Het was ongeveer vijftig kilometer naar de muur.

'Ja, en weer naar Mark, graag!'

En vijftig kilometer terug...

'Draai eens een rondje om je as.'

Om je wat?

'Gewoon een rondje lopen,' zei Jill zacht.

Ik sta voor gek, dacht Demi terwijl ze zich omdraaide. Nee, ik draai voor gek.

'Ik weet eigenlijk wel genoeg.' Mark de Bont keek naar de vrouw.

'Mm,' deed ze.

Demi kon wel huilen. Ze had zichzelf hier laten zien en was binnen twee seconden al afgewezen. Ze had voor paal gestaan.

'Bravo!' zei Mark tegen Jill. Hij haalde zijn benen van het bureau en wreef in zijn handen. 'Demi, je maakt me heel gelukkig. Ik loop al vijf maanden te zoeken. Jij bent het exxxx...' Hij bleef heel lang hangen op een x, en toen, alsof hij een pijl liet schieten zei hij: '...zact!!'

Hij liep naar haar toe en pakte haar schouders vast. 'There's my Angel!'

Wûh?

Toen gaf hij Jill een kus op haar wang. 'Je bent een kanjer!' zei hij.

Even was Jill net zo verlegen als Demi.

'Dirkje, handel jij het verder af?' Bij de deur draaide hij zich nog even om. 'Welcome, Angel!'

4

Dus ik... dacht Demi. Hij bedoelt dus dat ik...

'Ik zei het toch?' Jill begon luidkeels te schateren. Haar grote tanden kwamen helemaal bloot en ook nog een flink stuk tandvlees erboven.

Demi knikte. 'Maar, dus...' Ze deed haar uiterste best om haar hersens in beweging te krijgen.

'Ik zei het toch?' riep Jill tegen de cameraman.

Die zat te kijken naar een piepklein beeldschermpje dat aan zijn camera vastzat. 'Inderdaad een juweeltje,' mompelde hij.

Demi wist niet waar ze moest kijken. Een juweeltje, zij? Of bedoelde hij misschien dat schermpje zelf?

'Dat zei ik,' zei Jill tevreden. Ze stompte Demi tegen haar schouder. 'Blij? Dit is toch waar alle meiden van dromen?'

Demi droomde vaak dat ze te laat op school kwam. Dan liep ze de klas binnen en iedereen keek. Dat was al vreselijk, maar dan bleek ineens dat ze ook nog in haar blote kont liep.

'En waar dromen alle jongens van?' vroeg de cameraman zonder op te kijken.

'Die dromen van die meiden!' Jill weer lachen.

Ze hinnikt, dacht Demi.

Toen stond mevrouw Dirkje op. 'Lieverd, we gaan alles rustig uitleggen, met je vader en moeder erbij. En denk eraan: je bent niets verplicht, hoor!'

Even later zaten ze met zijn vijven om het bureau waar zojuist de voeten van Mark de Bont op hadden gelegen. Demi's vader was nog steeds verbaasd, haar moeder bezorgd en Robin trots.

'Dit is het idee,' begon mevrouw Dirkje. 'We hebben een nieuwe zanger ontdekt, Roy heet hij. Een geboren popidool! Hij is veertien jaar en hij gaat een absolute ster worden. We verwachten dat alle meisjes van Nederland smoorverliefd op hem zullen worden.'

'O,' zei Demi's moeder geschokt.

'Bij wijze van spreken,' voegde mevrouw Dirkje er snel aan toe. 'Wij zoeken vier meisjes die achter hem staan. Als het lukt zingen ze de refreintjes mee, maar het belangrijkste zijn hun dansjes en hun uitstraling. Samen vertegenwoordigen ze vier verschillende types, zodat de fans zich in één van hen kunnen herkennen. Alle types beginnen met een S: een stoer schoffie, een sexy schoonheid, een slim stuudje en...' Ze keek naar Demi.

'Een slome slak,' zei Demi.

Robin moest lachen maar mevrouw Dirkje schudde streng haar hoofd. 'Nee Demi! De vierde S staat voor stil schaduwmeisje. We zochten een meisje met een gouden hart dat uitstraalt naar de buitenkant, een meisje zonder poespas. Een meisje met een schild van verlegenheid om zich heen, dat ze weet om te zetten in charme.'

'Amen,' zei Robin.

Ik wou dat ik een microfoontje had om alles op te nemen, dacht Demi. Dan kon ik het thuis nog een keer rustig afluisteren. Charme, poespas en een schild van verlegenheid, het lijkt wel een gedicht.

'En de groep gaat heten... Belly B!' riep mevrouw Dirkje feestelijk. 'Dat staat voor belly button, wat navel betekent.'

Demi's moeder sprong geschrokken op. 'Ze krijgt niet zo'n haak in haar buik, hoor!'

'Ze bedoelt een piercing,' legde Robin uit.

'Er gebeurt niets zonder uw toestemming,' zei mevrouw Dirkje glimlachend. 'He-le-maal niets! We hebben een ijzersterk contract. Daarin worden de artiesten volledig beschermd. En u hoeft echt niet meteen te tekenen.'

Hoe komt zij eigenlijk hier, dacht Demi. Het zijn toch altijd van die vlotte, jonge vrouwen in de popwereld?

Ze kreeg een por in haar zij van Robin. 'Erbij blijven, schaduwmeisje,' zei hij zacht.

'We hebben lang gezocht, maar met jou is Belly B compleet,' zei mevrouw Dirkje. 'Aanstaande zaterdag draai je een hele dag mee, jullie krijgen dan dansles en mediatraining. Daarna krijg je bericht van ons of je echt aan alle eisen voldoet.'

Belly B. Er begon een vrolijke fanfare in Demi's hoofd te spelen.

'Is het geen kinderarbeid?' vroeg Demi's vader. 'Hoe worden de repetitietijden vastgesteld? Hoe weet ik of mijn dochter niet wordt uitgebuit?'

'Hebben we controle op wat ze zingt? En op wat ze aantrekt?' vroeg Demi's moeder.

'Waarom mag ze eigenlijk niet zelf zingen?' vroeg Robin.

Mevrouw Dirkje gaf op alles geduldig en uitgebreid antwoord.

Demi dacht aan Tiara. Het was waar wat Robin vanmorgen zei. Ze wás een beetje bang voor Tiara. Maar ze vond het ook zielig, omdat dit precies Tiara's hartenwens was.

Ik weet wat, dacht ze ineens. Ik vertel het niet, ik hou het geheim. En als we dan een singeltje hebben, krijgt zij hem als verrassing.

Toen ze weer in de auto zaten, begon Demi keihard te lachen. Zomaar om niks. Nou ja, niks...

Belly B!

'Je krijgt natuurlijk een bodyguard,' zei Robin. 'Mam, die moet ook mee-eten, hoor! Hij mag niet van Demi's zijde wijken.'

Met haar handen tegen haar buik gedrukt viel Demi tegen Robin aan.

'Als hij aan tafel zijn zonnebril maar afzet,' zei haar moeder.

'Hou eens op met lachen,' zei Robin. 'Je loopt helemaal rood aan. Straks krijg je nog een hersenbloeding!'

Haar vader keek naar haar in zijn spiegeltje. 'O jongens, Britney Spears heeft een zenuwaanval.'

'Pa, Britney Spears is van vóór de Middeleeuwen!' riep Robin meteen.

'Hou op, ik barst,' piepte Demi.

'Maar alles goed en wel, ik wil één ding duidelijk afspreken,' begon haar moeder ineens streng.

'Nee, mam,' zei Robin, nog strenger. 'Niet nu al zeuren. Eerst genieten!'

Haar moeder zuchtte. 'Een puber en een popster, daar ben ik mooi klaar mee.'

De rest van het weekend zat Demi voor de televisie, heen en weer zappend tussen alle muziekzenders. De hele dag door stelde ze vragen, aan wie er maar in de buurt was.

'Hoe zouden die andere meisjes zijn?'

'Moeten we ook optreden of gaat het alleen om die clip?'

'Ze weten toch niet of ik wel kan dansen?'

'Zouden ze zich niet gewoon vergist hebben?'

'Is het echt gebeurd?'

Zo nu en dan keek er iemand mee naar de tv.

'Brrr, al dat blote gedoe,' zei haar moeder dan bijvoorbeeld.

En haar vader zei: 'In mijn tijd ging het nog gewoon om de muziek.'

Samen met Robin probeerde Demi de vier types te ontdekken.

'Daar, dat meisje met die zwarte kuif. Zo'n soort iemand zal het schoffie wel zijn,' zei ze. Vrijwel alle meisjes kwamen in aanmerking voor het type sexy schoonheid. Een stuudje en een schaduwmeisje konden ze niet vinden.

'Volgens mij wordt het een hit, die vier types,' zei Robin.

Maandag deed Tiara gelukkig weer normaal tegen Demi. Ze ging er blijkbaar helemaal van uit dat Demi niet gebeld had.

Een meneer van het ziekenhuis kwam in de klas vertellen hoe slecht het is om te roken. Vier kinderen luisterden met een stoer glimlachje, dat waren de kinderen die al rookten. Terwijl die meneer praatte, probeerde Demi de meisjes in de klas onder te verdelen in de vier types. Dat was nog moeilijk, de meeste meisjes hadden van alle vier wel iets. Behalve Tiara, die was honderd procent sexy schoonheid. En Demi zelf dus met haar engelachtige uitstraling. Echt iets om trots op te zijn, maar niet heus.

Na school gingen ze naar het zwembad, bijna de hele klas ging mee. Eigenlijk haatte Demi zwemmen, want dan moest dat witte sprietenlijf bloot, nou ja, bijna bloot. In bikini waren er nog maar twee types: sexy schoonheid en niet-sexy niet-schoonheid.

In de loop van de week raakte Belly B steeds meer op de achtergrond, het leek eerder een droom dan iets dat echt gebeurd was.

5

Maar ondertussen werd het wel gewoon zaterdag.

Demi zat met Robin te ontbijten. Tenminste, dat probeerde ze. Ineens nam ze een besluit. Ze was er zelf verbaasd over, maar ze wist het heel zeker. 'Robin, ik ga niet. Wil jij alsjeblieft mevrouw Dirkje bellen om het te vertellen? Zeg maar dat ik ziek ben. Dan doe ik vandaag de afwas voor jou, oké?'

Robin trok één wenkbrauw op.

'En morgen ook. Ik bedoel de afwas.'

Robin wees op Demi's onaangeroerde boterham. 'Eet nou wat. Straks sta je te dansen en dan val je ineens van je stokkie.'

'Ik meen het, hoor.'

Robin zuchtte dramatisch. 'Wat ben je toch een vréselijk wijf.'

'Dus je doet het?'

'Dus je doet het?' herhaalde hij. 'Ik píéker er niet over, alle meisjes lopen op straat om zich heen te loeren of ze niet toevallig eindelijk ontdekt worden. En laat nou Demi, het best gecamoufleerde talent van Nederland, ontmaskerd zijn. Natuurlijk doe je het. Nou, kom op, dan help ik je met kleren uitkiezen.'

Dit verlies ik dus, dacht Demi.

Haar moeder kwam de kamer in. 'Ik ben toch zo benieuwd naar vandaag!'

Demi keek wanhopig naar Robin. Die keek terug terwijl hij zijn ogen half dichtkneep. 'Blllauw,' zei hij aarzelend. 'Ja, volgens mij moet je vandaag iets blauws aan.'

Ze waren er: Herensingel zeven. Het leek van de buitenkant wel een fitnesscentrum.

'Weet je het zeker?' vroeg Demi aan haar moeder.

Die wees naar het bordje op de deur: *Studio Mark de Bont*, stond erop.

Gloep, Demi kreeg meteen een verse zenuwgolf.

'Ik kán nog terug, toch?' vroeg ze benauwd.

Haar moeder reageerde niet eens. 'Kom maar.'

Mevrouw Dirkje kwam hun al tegemoet. 'Demi, welkom!' zei ze meteen, terwijl ze hun een hand gaf.

'Wat kan ik het beste doen?' vroeg Demi's moeder aarzelend.

'Gaat u maar lekker naar huis. Er komt nog een ouderavond,' zei mevrouw Dirkje. 'Het is namelijk nog niet zeker of ze door mag, hè?'

Blijf, mama, blijf, dacht Demi.

Maar nee, ze kreeg een kus en nog een klopje hier, een kneepje daar, en toen was ze alleen.

'Loop je mee?' vroeg mevrouw Dirkje. 'Jullie zijn bijna compleet.'

Ze kwamen in een balletzaaltje. De vloer was van hout en één hele wand bestond uit spiegels. Achterin was een hoekje met banken waar twee meisjes zaten. Ze waren zo druk aan het praten dat ze Demi niet zagen binnenkomen.

Nou, met die verlegen uitstraling zit het wel goed vandaag, dacht Demi toen ze opzij in de spiegel keek.

Liep ze echt zo? Het leek wel of ze een bochel had!

'Macy, Kes, dit is Demi!' zei mevrouw Dirkje.

'Hoi Demi!' Macy kwam meteen overeind en gaf Demi een hand. Ze was netjes, serieus en ze droeg zelfs een bril: de Stuud. Demi gokte dat ze uit Suriname kwam.

'Hé!' Kes gaf een knipoog. Ze had ongeveer hetzelfde haar als Demi, blond en lang. Haar kleren waren gewoon, hooguit een beetje slordig. Maar haar blik was... stout! Ja, dat was het woord, ze leek op een ondeugend kind. Kes was het Schoffie, dat kon een blinde kip nog zien. 'Lekkere zweetkakkies heb jij!' zei ze toen ze Demi een hand gaf. 'Eng toestandje, hè?'

Robin had wel eens gezegd: 'Als je verlegen bent, moet je toch praten. Anders denken de mensen dat je arrogant bent.'

'Dóóódeng,' zei Demi daarom snel. Het kwam uit de grond van haar hart.

Kes klopte naast zich op de bank. 'Kom zitten!'

'Ik ga nummer vier opwachten.' Mevrouw Dirkje keek nog even om. 'Hoe hébben ze jullie zo kunnen vinden,' zei ze bewonderend.

Voorzichtig ging Demi zitten. Tot nu toe viel het mee, tot nu toe viel het mee...

'Zijn jullie via een advertentie uitgekozen?' vroeg Macy.

'Ik ben gewoon van straat geplukt,' vertelde Kes. 'Door Tandje Diamantje!' Ze tikte op haar voortand.

Demi knikte. 'Ik ook.'

'Jij bent verlegen, hè?' vroeg Kes.

Demi knikte verlegen.

'Nee, ik bedoel, als type moet jij verlegen zijn, maar dat begint niet met een S, daarom hebben ze je "schaduwmeisje" genoemd,' zei Kes.

'Schuchter,' zei Macy. 'Dat betekent verlegen en het begint met een S.'

'Maar dat woord kent niemand, behalve het stuudje!' Kes gaf Macy een hartelijke klap op haar rug.

Er kwam een jongen van een jaar of twintig de zaal in. Omdat de bank precies goed stond, konden ze helemaal volgen hoe hij naar hen toe liep. Hij was lang. Te lang, vond hij waarschijnlijk zelf, want hij liep krom. Zijn neus was zo groot dat het wel een slurfje leek. Hij had dun, vettig haar en geen lippen.

'Daar hebben we Roy, de sexy solozanger,' fluisterde Kes.

Demi lachte zachtjes.

'DAG MEIDEN, IK BEN NICO!'

Hallo, kon het nog harder?

Nico stak zijn hand op en lachte een rommelig gebit bloot. Hij was zo vrolijk en hartelijk, dat Demi meteen vergat hoe lelijk hij was.

'Vanaf nu zorg ik voor jullie! Koffie, thee, limonade, marsen, nutsen, chips, broodjes, kauwgom, drop, winegums, maar ook zakdoekjes, pleisters, doucheschuim, warme sokken, gel, kortom noem maar op, alles mag je aan me vragen!'

'Lekker handig!' zei Kes.

Nico knikte. 'Dat bedoel ik. Willen jullie wat drinken?'

Ik geloof dat het nog leuk wordt ook, dacht Demi.

6

Toen kwam Mark de Bont.

'Gewoon skippen,' zei hij, terwijl hij naar het zithoekje liep. Hij lachte naar de meisjes. 'We zijn het Leger des Heils niet!'

'Wat zeg je?' vroeg Kes.

Hij gaf haar een knipoog. 'Dat lost Dirkje wel op, die is van de tissues.'

'Hij staat handsfree te bellen,' zei Macy.

'We gaan niet lopen pielen,' riep Mark, terwijl hij Demi aankeek. Ze kreeg het er warm van.

'Pielen punt nl,' zei Kes. 'Mijn vader zegt altijd "punt nl" als ik een vies woord gebruik.'

'Waarom?' vroeg Macy.

Kes haalde haar schouders op. 'Ik zal het eens vragen.'

Mark drukte op een knopje in zijn borstzak. 'Girls, welkom bij Belly B! Hartstikke goed dat jullie er zijn. Nummer vier is te laat, pech voor haar, wij gaan beginnen. Kijk hier even naar.' Hij rolde een poster uit en hield die voor hen op. Het was een foto van een knappe jongen op het strand. Hij staarde in de verte, hij keek zeker of de boot er al aankwam.

'Dit is dus Roy. Leukerd hè?' zei Mark, alsof hij hem zelf geschilderd had.

Roy droeg een spijkerbroek waar een klein randje van zijn onderbroek bovenuit kwam, zijn bovenlijf was bloot.

'Roy Superboy!' riep Kes. 'Ik ben nu al verliefd!'

Mark lachte tevreden. 'Ik zal jullie vertellen hoe de rest van het traject eruitziet. Vandaag gaan we naar jullie kijken. Vanuit alle hoeken en gaten worden jullie begluurd. In de loop van de week krijg je een brief thuisgestuurd, daarin staat of je goed genoeg bent. Als je door mag, teken je het contract en ben je lid van... Belly B!!' Hij keek snel op zijn horloge. 'Kennen jullie het programma "Popzouten"?'

Oeioei, Demi voelde al waar dit heen ging.

Demi en Kes kenden het, maar Macy niet.

'Ken jij Popzouten niet?' vroeg Kes stomverbaasd.

'Nee,' zei Macy nog eens.

'De kandidaten moeten zingen voor een bomvolle zaal,' vertelde Mark. 'De mensen in het publiek krijgen een klikkertje in hun hand. Als ze het niet meer leuk vinden, moeten ze op het klikkertje drukken. Dat wordt door een computer opgeslagen. Wanneer vijftig procent van de mensen gedrukt heeft, gaat er een toeter, en dan is het: opzouten!'

'O, aardig zeg!' zei Macy verontwaardigd.

'Het hele land kijkt ernaar,' zei Mark.

'Min één.' Kes wees naar Macy.

'Wij zetten Roy in,' zei Mark en hij wees naar de opgerolde foto. 'Mét jullie, want al zijn fans zullen meisjes zijn. Die moeten niet alleen verliefd worden, ze moeten zichzelf ook kunnen herkennen. In jullie dus. Na afloop is Belly B in één klap beroemd. En dan praat ik niet alleen over Nederland!'

'Wow,' zei Kes.

Verder bleef het stil.

Dat overleef ik niet, dacht Demi.

Vorig jaar had ze alle afleveringen van Popzouten gezien. Iedereen praatte erover, op school, in de winkels. De jongen die vorig jaar gewonnen had, kon niet meer gewoon de straat op.

De eerste keer deden er vijftig artiesten mee. Sommigen hadden één noot gezongen en... Pèp! Popzouten! Wie het lied had kunnen uitzingen, mocht naar de volgende ronde. Dat waren een stuk of tien kandidaten. Die moesten voor een heel strenge jury zingen. Die juryleden kozen de drie besten uit en die mochten door naar de grote finale.

'Wie zegt dat wij winnen?' vroeg Macy.

Langzaam liep Mark naar haar toe. Hij hurkte vlak voor haar, steunde met zijn handen op haar knieën en keek haar diep in de ogen. Macy wendde haar blik niet af.

'Ik,' zei hij duidelijk. Meteen stond hij weer op. 'De komende tijd gaan jullie je te pletter werken! Als je door mag, tenminste. Mevrouw Veldhof komt jullie zo halen voor de dansles.'

Mevrouw Veldhof? O, dat was mevrouw Dirkje! Precies op dat moment kwam ze binnen. Het leek wel alsof ze achter de deur had staan wachten tot Mark haar naam zei.

'Die vierde bellen we af,' zei Mark tegen haar. 'Neem de volgende van de lijst maar.'

'Ze is er al,' zei mevrouw Dirkje.

'Toch afzeggen!' riep Mark. 'Het is hier geen hobbyclub! Graag of...'

Mevrouw Dirkje legde een vinger op zijn mond. 'Ssst, niet zo mopperen. Daar krijg je hoofdpijn van. Ga nu maar.'

Als een braaf jongetje verliet Mark de ruimte.

Ze kregen alle drie een roze trainingsbroek met een roze sweater waarop in glitterletters *Belly B* stond. Terwijl ze die aantrokken, kwam er een meisje binnen. Ze droeg gewoon een spijkerbroek en een T-shirtje, maar toch was ze supersexy. Dat kwam door haar blik en door haar bewegingen.

'Hai allemaal!' Ze sprak laag en een beetje hees. 'Balen hè? Ik zat gewoon fout. Ik wist wel dat het iets met Heren was, Herenstraat of Herenweg, maar Herensingel, nóóóóit aan gedacht! Ik ben Sabrina.' Ze gaf iedereen een hand, waarbij haar armbanden vrolijk klingelden.

'Je zou zo de zus van Macy kunnen zijn!' riep Kes verbaasd.

Sabrina wees naar Kes en Demi. 'Maar jullie zouden ook wel zusjes kunnen zijn.'

Is er nou niemand verlegen in het begin? dacht Demi. Dat

kletst maar en dat lacht maar... Zij was zelf weer helemaal terug bij af. Ze kon geen woord uitbrengen bij Sabrina en ze voelde zich opeens een vreselijk slome sliert.

Mevrouw Dirkje gaf Sabrina een trainingsbroek en een sweater. 'Jullie krijgen nu een uur dansles, vanmiddag maken jullie kennis met Roy.'

7

'Rechts, shuffle, klap, boogie! Terug, shuffle, klap, boogie!'

Demi stond te zweten alsof ze in een sauna stond. Ze had al door dat ze niet in de spiegel moest kijken, want dan ging het mis. Voor de tiende keer hoorde ze het hitje dat Belly B groot moest maken: 'Bubbles in my belly', gezongen door Roy. Leuk liedje was het!

'Links, shuffle, klap, boogie! Terug, shuffle, klap, boogie!'

De dansjuf heette Tanja. Ze had knalrood geverfd stekeltjeshaar en ze leek op een geraamte in een trainingspak. Maar dan wel een geraamte van rubber, want ze bewoog zo soepel als een elastiekje.

Als eerste hadden ze 'de boogie' geleerd: dat was een soort zwieper met je armen naar achteren en tegelijkertijd met je hoofd naar voren. Daarna kregen ze de shuffle: net zoiets als de moonwalk, maar dan simpeler.

Het was direct duidelijk dat Macy het mooist kon dansen. Ze bewoog zich nauwelijks, maar het zag er heel swingend uit.

Als ze danst, is Macy eerder een sexy schoonheid dan een stuudje, dacht Demi.

Kes stond te stampen en te briesen als een stier. Haar hoofd was vuurrood van inspanning.

'Wacht even!' hijgde ze. 'Dus meteen na de klap komt die stomme boogie?'

'Niet zo veel nadenken!' riep Tanja. 'Je moet met je lichaam dansen, Kes, niet met je hersenen.'

Ik ben gelukkig niet de slechtste, dacht Demi. Zij en Sabrina dansten een beetje hetzelfde.

'Rechts, shuffle, klap, boogie!'

Een uur later hingen ze uitgeput op de bank.

'Kan ik de dames blij maken met een watertje?' vroeg Nico.

'Graag, ik ben uitgedroogd! Wat een zweterig toestandje!' riep Kes. Ze zwiepte een been over de schoot van Demi, die naast haar zat.

Demi was nooit zo aanrakerig, het been voelde zwaar als een boomstam.

Maar het betekent wel dat ze me aardig vindt, dacht ze. Anders doe je zoiets toch niet?

'Zouden er overal camera's hangen?' vroeg Macy, terwijl ze om zich heen keek. 'Ze gaan ons vandaag toch begluren?'

Op slag was Demi weer zenuwachtig, wat in dit geval wel gunstig was, want het paste mooi bij haar type.

'Joehoe!' Kes zwaaide naar een zwart, glazen rondje in het plafond.

'Dat is een rookmelder, hoor,' zei Sabrina.

'Weet ik,' zei Kes meteen. 'Daar zwaai ik altijd even naar.'

Macy grinnikte.

Ik gok dat Macy en Kes vriendinnen worden, dacht Demi.

'En dat is vier.' Nico zette de glazen water neer en liep weg.

Sabrina keek hem na alsof hij een modeshow liep. 'Hij heeft vrouwenbillen.'

Macy zette snel haar bril op om goed te kunnen zien. 'Beter dan helemaal geen billen,' zei ze.

'Mmm, weet ik niet,' zei Sabrina nadenkend. Ze wreef over haar buik. 'Ik denk trouwens dat we wel zullen afvallen van dat gehups!'

'Maar zo'n lucifer als Tanja wil ik niet worden!' riep Kes. 'Mijn moeder zet me meteen op een slagroomdieet.'

Demi moest lachen, Tanja leek inderdaad op een lucifer, vooral door dat rode, korte haar.

'Jij hebt sterretjes in je ogen als je lacht,' zei Sabrina.

O jee.

'Misschien omdat ik snel tranen krijg als ik lach,' zei Demi. Wat natuurlijk een dom antwoord was, want dan zou je als je huilde ook...

'Eerst snapte ik er geen bal van dat ze jou gekozen hadden, maar nu zie ik het wel,' zei Kes.

Sabrina knikte. 'Als je goed kijkt, is zij een beauty, hè?'

Zaten ze haar alle drie aan te gapen!

Demi trok snel haar sweater over haar hoofd. 'Ja zeg, zo kom ik wel lekker in mijn verlegen rol!' riep ze.

Ze hadden hun water nog niet op, of ze moesten alweer mee met mevrouw Dirkje.

'Het volgende vak is mediatraining,' zei ze. 'Dat geeft Mark, in de bioscoop.'

'Shit, Mark de Bont,' fluisterde Sabrina. Ze ging naast mevrouw Dirkje lopen. 'Mogen we ons even normaal aankleden?' vroeg ze.

'Nee, hou maar lekker je trainingspak aan, want over een uur gaan jullie weer dansen.'

'Weer dansen? Is dit een strafkamp of zo?' riep Kes ontzet.

Mevrouw Dirkje draaide zich om en keek haar streng aan.

'Grapje hoor, grapje!' zei Kes gauw. 'Ik ben juist dol op de boogie.'

'Dat is je geraden ook.' Mevrouw Dirkje hield de deur open. 'Meisjes, ik laat jullie even alleen, hij komt er zo aan.'

Ze gingen op de eerste rij zitten.

'Mark de Bont, dé Mark de Bont,' jammerde Sabrina. 'En wat heb ik aan? Een roze pyjama!'

'Hè? Vind jij Mark de Bont dan leuk?' Macy was echt verbaasd.

'Best wel,' zei Sabrina.

'Hij had je opa kunnen zijn,' joelde Kes.

'Ik vind hem een gladjanus,' zei Macy.

'Een gladjanus?' kreunde Sabrina. 'Hij is de knapste man van Nederland!'

De deur ging open en Mark de Bont kwam binnen. 'Zo! Die wil ik dan wel eens ontmoeten,' zei hij.

In plaats van Demi was Sabrina nu het verlegen meisje. Maar ze herstelde zich direct. Ze lachte zwoel en zei: 'Ik zal je zijn telefoonnummer geven.'

Dat is nog eens een antwoord, dacht Demi vol bewondering.

'Goed meiden, vier types met een S, hoe gaan we die overbrengen?' begon Mark. 'Kes, we beginnen met jou. Wat zijn jouw belangrijkste eigenschappen?'

Demi schrok. Ik kom natuurlijk ook aan de beurt, dacht ze. Wat zijn mijn eigenschappen, wat zijn mijn eigenschappen?

'Even kijken.' Kes had er duidelijk zin in, haar ogen glommen. 'Ik ben altijd eerlijk en...'

'Nee,' zei Mark. 'Niet jij, Kes. Je type, het stoere schoffie, wat zijn daar de kenmerken van?'

Kes dacht na. 'Brutaal, jongensachtig?'

Ik kan 'een beetje onzeker' zeggen, dacht Demi.

'Juist!' Mark liep naar een soort schoolbord dat naast het filmdoek stond en schreef er 'brutaal, jongensachtig' op.

'Mooi kontje,' fluisterde Sabrina.

'Vind je?' vroeg Macy.

'En wat zijn je hobby's?' ging Mark verder.

'Van mij of van mijn tiepje?' vroeg Kes.

Mark draaide zich om. 'Altijd je type. Je bént je type, snap je?'

'Kickboxen dan!' zei Kes.

'Prima!' Mark schreef het op. 'En jij, Macy, wat zijn jouw hobby's?'

'Dansen,' antwoordde Macy direct.

'Maak er maar lezen van,' zei Mark. 'Wat is je lievelingsdier, eh, jij, hoe heet jij ook alweer?'

'Demi,' zei Kes.

Kon je wel houden van iets of iemand waar je allergisch voor was?

‘Ehm... ik denk paard,’ zei Demi toch maar.

‘Liever konijntje,’ zei Mark. ‘Denk vanuit je type. Wat draag jij het liefste, Sabrina?’

‘In elk geval geen roze trainingspak,’ antwoordde Sabrina meteen.

‘Heel goed,’ zei Mark. ‘Demi, noem eens een goede eigenschap van jezelf?’

‘Ehm.’ Demi deed alsof ze nadacht, maar in feite gebeurde er even niets in haar hoofd. ‘Ik weet het zo gauw niet, eh, even denken...’

‘Héél goed!’ Mark schreeuwde bijna. ‘Onthou die zin, die is heel goed! Hij past uitstekend bij je type!’

Ze kregen het die dag nog heel vaak te horen: ‘Je type, denk vanuit je type.’

Toen ze weer moesten dansen, begon Tanja er ook over. ‘Probeer te voelen hoe je type beweegt.’

‘Shit man, ik weet amper hoe ik zelf beweeg!’ klaagde Kes.

‘Je doet het goed,’ zei Tanja. ‘Hou die agressie maar lekker vast.’

‘Agressie? Wanhoop zul je bedoelen!’

Kes stond inderdaad te stampen en te schoppen alsof ze aan het vechten was. Demi maakte zich ineens zorgen. Kes was zo leuk, als ze maar niet werd afgewezen vanwege het dansen!

‘Demi, hoofd ietsje omlaag houden. Jouw type denkt: let niet op mij, let niet op mij!’ riep Tanja. ‘Boogie, boogie, kick en terug! Dans vanuit je type.’

8

'Ziezo meisjes,' zei mevrouw Dirkje, toen ze voor de tweede keer die dag zwetend en hijgend op de bank hingen. 'En nu in bad!'

'Onder de douche?' vroeg Macy.

'Nee, in bad!' herhaalde mevrouw Dirkje. 'Trek je schoenen hier maar uit.'

Demi bukte zich meteen naar haar veters om te verbergen dat ze bloosde. In bad? Hoe dan? Zeker met z'n allen tegelijk en dan elkaar steeds aanraken, vreselijk!

'Loop maar mee,' zei mevrouw Dirkje.

Ik wil niet, ik wil niet, ik wil niet, dacht Demi op de maat van haar voetstappen.

Ze kwamen in een ruimte met tegels op de vloer. Het rook er naar zwembad. Er waren twee houten hokjes en middenin, als een soort meertje, lag een enorm bad. Mevrouw Dirkje drukte op een knop en met oorverdovend lawaai begon het water te borrelen.

'Lekker bubbelen!' Kes trok hup, hup, hup haar kleren uit, onderbroek erachteraan en stond binnen drie seconden in haar blootje. Ze had een piepklein zilveren spinnetje als navelpiercing.

Ze zag er zacht en knuffelig uit, Demi moest aan een hertje denken.

'Mag ik?' Zonder op antwoord te wachten stapte Kes in het bad. Ze leunde achterover, sloot haar ogen en kreunde. 'Heeeerlijk,' mompelde ze.

Macy en Sabrina aarzelden niet, ze trokken hun kleren uit en stapten bij Kes in het bad.

'Toe maar, Demi,' zei mevrouw Dirkje.

Demi gluurde om zich heen. Werden ze hier ook bekeken?

Ik ben allergisch voor bubbels, dacht Demi. Ik heb besmettelijk eczeem op mijn rug, mijn ogen kunnen niet tegen chloor, mijn haar mag niet nat worden.

Langzaam trok ze haar broek uit.

Ik vat nogal snel kou, mag ik mijn sweater aanhouden?

En haar onderbroek...

Ze kon natuurlijk weigeren, als ze nu uit de groep stapte, hoefde ze dit niet te doen.

...toen haar sweater, niemand keek naar haar, ze liep naar het bad...

'Oh, dit is lekker, moet je met je rug tegen die spuit aangaan!' Macy schreeuwde om boven de herrie van het gebubbel uit te komen.

...en stapte erin.

Kes had gelijk. Het was heeeeerlijk...

Het duurde niet lang of ze zaten te kletsen alsof ze elkaar al jaren kenden. Helaas werden ze na een half uur alweer gehaald door mevrouw Dirkje. Wit en rimpelig klommen ze uit het warme water. Demi bleef als laatste zitten, dan konden de anderen niet naar haar billen kijken als ze eruit klom.

Ze kregen een zwart topje, een zwart bikinibroekje, roze bontslippers en een roze badjas, waar ook weer in glitterletters *Belly B* op stond.

'We gaan jullie maten opnemen, loop maar mee,' zei mevrouw Dirkje.

Ditmaal kwamen ze in een soort kleedkamer. Een jonge vrouw met blond opgestoken haar stond hen op te wachten.

'Hier zijn de meisjes van Belly B. Ik kom ze over een half uur weer halen,' zei mevrouw Dirkje.

De vrouw zei niet hoe ze heette. Ze had een sigaret uit haar mond hangen en het leek alsof ze helemaal geen zin in dit karweitje had.

'Nou, zeg het maar, wie is wie?' vroeg ze.

'Ik ben Macy,' begon Macy.

'Nee, ik bedoel sexy, stoer en zo,' zei de vrouw ongeduldig. 'Dat kan ik toch niet ruiken?'

Er was inderdaad niets meer over van de vier types. Ze hadden dezelfde badjassen, alle vier natte haren en rode wangen van de warmte.

'We hebben het veranderd,' zei Kes. 'We zijn nu vier pink panters.'

De vrouw nam een flinke trek en blies de rook uit door haar neus. 'Kunnen we even opschieten?'

'Schrijf je "chagrijn" ook met een S?' fluisterde Kes in Demi's oor. 'Dan hebben we een vijfde type.'

Sabrina stapte naar voren. Ze keek ineens heel ernstig. 'Ik ben de strenge stuud,' zei ze.

Kes nam het meteen over. 'Ik ben de sexy schoonheid.' Ze gaf een kusje in de lucht waardoor ze vooral op een vis leek die naar voer hapte.

Sexy kun je niet nadoen, dacht Demi. Je bent het, of je bent het niet.

Ze deed verschrikkelijk haar best om niet te lachen.

Macy keek naar de grond en kuchte. 'Ik ehm...' zei ze zacht. Ze friemelde met haar vingers en bleef maar omlaag kijken. 'Ik ben het schaduwmeisje.'

Doe ik zo? dacht Demi geschokt.

De anderen keken naar haar. O jee, zij moest. Wie moest zij doen, wie bleef er over?

Kes! O nee, niet de stoere! 'Uhm,' zei Demi.

'Lukt het hier?' Gelukkig, daar was mevrouw Dirkje.

'Nou nee, niet echt,' zei de S van chagrijn.

Toen ze van top tot teen opgemeten waren, mochten ze hun eigen kleren weer aan. Daarna kwam Nico hen halen, om kennis te maken met Roy.

Ze liepen naar de kantine bij de ingang en gingen zitten.
'Hij zal zo wel komen,' zei Nico terwijl hij achter de bar ging staan.
'Die types, ik word er gek van. Ik weet niet meer wie ik zelf ben,' zei Kes.

'Willen de dames een smaakje uitzoeken?' Nico had vier kopjes kokend water neergezet en hield hun nu een deftige doos met theezakjes voor.
'Voor mij graag een slimme smaak.' Macy bestudeerde de zakjes. 'Ernstig en serieus.'
'O ja. Ik wil stoere thee,' zei Kes meteen.
Sabrina boog zich ook over de doos. 'Heb je misschien een sexy zakje?'
'Of ik een sexy zakje heb?' vroeg Nico zogenaamd verbaasd.
Sabrina glimlachte, terwijl ze een haarlok uit haar ogen veegde.
'Ik weet het zo gauw niet, eh, even denken...' zei Demi.
Iedereen lachte.
Grapje gemaakt, dacht Demi met een gloeiend hoofd.
'Ja, goed zo, onthoud die zin! Die past uitstekend bij jouw type,' joelde Kes, met de stem van Mark de Bont.
'Type, type, type,' zei Sabrina. 'Ik kan het woord niet meer horen! Om over "boogie" nog maar te zwijgen.'
'Gebruik je suiker in je type?' vroeg Nico beleefd.
'Krijgen we geen boogie bij de thee?' riep Kes.
Ze moesten weer lachen, Nico bulderde als een scheepstoeter.
Kes zuchtte diep. 'Ik vind het leuk met jullie, ik hoop zó dat er niemand wordt afgewezen!'
Macy en Sabrina knikten. Demi had het gevoel alsof er ineens een warme kruik op haar buik lag. 'Ik ook,' zei ze snel. 'Ik ook!'
'Jullie zijn zeker Belly B!'
Demi keek om.
Roy.

Nog nooit in haar leven had Demi zo'n knappe jongen gezien. Hij was zo mooi dat ze ervan schrok. En de andere meisjes ook, want niemand zei meer iets. Hij zag er nóg beter uit dan op de poster.

'Zonde dat jullie achter me moeten staan!' zei hij vleiend.

Sabrina speelde traag met een haarlok. Het leek alsof ze in gedachten was, alsof het haar niet veel kon schelen allemaal. Kes floot een liedje tussen haar tanden door.

Roy liep naar Macy en gaf haar een hand.

'Macy.'

'Roy.'

Toen hetzelfde bij Kes, toen bij Sabrina. Zjoef, zjoef, Sabrina's wimpers zwiepten op en neer.

En toen ging hij zitten.

'Kopje thee?' vroeg Nico.

Demi, het schaduwmeisje. Stil blijven? Of moest ze zeggen: 'O ja, trouwens, en ik ben Demi, maar blijf maar zitten, hoor.'

'Hé, hé, hé!' riep Kes. 'Je vergeet ons erelidje!'

'Sorry, wat stom van me!' zei Roy.

Hij stond weer op en liep naar Demi. Ze voelde hoe dom ze grijnsde, maar ze kon er niet mee stoppen.

'Roy.'

'Demi.'

En sorry voor die klamme zweethand.

9

De volgende ochtend werd Demi wakker met een heel, heel ernstige ziekte. Zo voelde het tenminste wel. Haar lichaam deed van top tot teen pijn, ze kon nog geen pink bewegen.

Wat is er met me aan de hand? dacht ze bang.

Heel voorzichtig rolde ze op haar zij. En ineens wist ze het: ze had spierpijn. Boogiepijn!

Kreunend kwam ze overeind. Hoe lang duurde zoiets? Wat moest ze maandag op school zeggen? Ze hadden nog gym ook!

Ze hoorde Robin naar de badkamer gaan en riep hem.

'Ik heb zo'n spierpijn,' jammerde ze, toen hij haar kamer in kwam. 'Wat kan ik daaraan doen?'

Robin grijnsde sadistisch. 'Het enige wat helpt, is erdoorheen gaan. Eerlijk waar, je moet door de pijngrens heen beuken, die spieren moeten weer bewegen.'

'Dat is meer iets voor het stoere type. Verlegen meisjes worden toch heel voorzichtig in bad getild als ze pijn hebben?' vroeg Demi.

Robin liep naar de deur. 'Verlegen meisjes wel,' zei hij. 'Maar meisjes die verlegen meisjes spélen niet! En al helemaal niet als hun broer zelf in bad wil.'

Demi dacht na over zijn laatste opmerking. Niet dat van die broer, maar over het spélen van een verlegen meisje. Ja, hoe zat dat eigenlijk?

'Mam, was jij vroeger verlegen?' vroeg Demi terwijl ze de huiskamer binnenstrompelde.

'Kind, wat heb jij? Ben je gevallen?' Haar moeder keek geschrokken op van de krant.

‘Spierpijn,’ zei Demi. ‘Vertel eens?’

Haar moeder bleef geschokt kijken. ‘Is het echt zo erg?’

‘Zeg nou!’

‘O, ja.’ Nu pas dacht ze na. ‘Nee, ik niet. Tante Gerda, die was stróntverlegen.’

‘Dus het zou erfelijk kunnen zijn?’ vroeg Demi.

Met een diepe zucht legde haar moeder de krant opzij. ‘Luister eens even goed naar mij. Je moet je niets laten aanpraten door dat clubje! Jij bent niet verlegen...’

‘Wel toch?’ vroeg Demi.

‘Nee, ik bedoel, je bent het soms wel, maar dat is niet Demi! Je bestaat uit meer dan alleen maar verlegenheid. Je bent niet wat je doet, ik bedoel, het is een houding, je krijgt daar een etiketje opgeplakt, en... ja, hoe moet ik dat zeggen?’

Demi had gisteravond natuurlijk alles verteld over Belly B, en toen had haar moeder ook al laten blijken dat ze dat gedoe met die types niet zo fijn vond.

‘Ik snap het wel,’ zei Demi snel. ‘Mag ik tv-kijken?’

De spierpijn werd niet minder, eerder erger. Toen Demi maandagochtend wakker werd, was het volstrekt duidelijk dat ze niet naar school kon. Toch schuifelde ze een uurtje later richting pizzeria. Het leek wel of ze in de centrifuge had gezeten, zo’n pijn deed het.

‘Hup, in de benen!’ had haar moeder gezegd. ‘Je mag in dat popgroepje als je schoolwerk er maar niet onder lijdt.’

Tiara stond al bij de pizzeria. Zou ze iets zien?

‘Hoi!’ riep Tiara. ‘Demi, ik mocht het hele weekend op Kayak!’

Nee dus, gelukkig.

‘Kayak is toch jouw lievelingspaard?’ vroeg Demi.

Tiara ging elk weekend naar de manege en vertelde op maandag altijd uitgebreid over haar paardenavonturen. Ze was niet iemand die veel vroeg.

Demi luisterde geduldig.

Dát had ze zaterdag als goede eigenschap van zichzelf moeten opnoemen: goed kunnen luisteren! Konden alle verlegen mensen automatisch goed luisteren?

Toen ze in de klas zaten, vertelde meester Jos dat er volgende

week een feest zou zijn. En wat gingen ze doen?

'Popzouten, maar dan in het klein!' vertelde hij. 'Dus mensen, als je kunt zingen of dansen: schrijf je in!'

'Demi, wij doen mee!' zei Tiara. 'Samen met Ella. Ella, wil jij meedoen met mij en Demi?'

Ella wilde wel, maar alleen als Iris ook mocht.

Vier meisjes in een popgroepje, dacht Demi. Dat komt me bekend voor...

Ze gingen meteen na school oefenen. Bij Ella thuis, want die had de grootste kamer.

'Wij zijn de solozangeressen en Demi en Iris een achtergrondkoortje, goed?' Tiara deed het cd'tje van Oops vast in de speler, want die gingen ze doen.

'Er mogen toch wel vier solozangeressen zijn?' vroeg Iris.

'Hallo, vier?' riep Ella. 'Dat is toch geen solo meer!'

'O ja, weet ik veel,' mompelde Iris.

Demi ergerde zich aan haar. Laat ik me ook altijd zo afbekken? dacht ze. Als je verlegen bent, ben je dan ook meteen een loser?

'Maar een solozangeres is er toch altijd maar één?' zei ze.

'Ja, precies!' Tiara keek naar Iris, alsof ze zeggen wilde: Demi snapt het tenminste! 'Dus daarom zijn we met z'n tweeën twee solozangeressen!'

'O, zo bedoel je,' zei Iris sullig.

Toen Demi naar huis liep, was haar spierpijn bijna verdwenen.

Misschien was er al bericht. Ze hadden zaterdag natuurlijk al geweten wie er verder mochten. Als ze zondag een brief op de bus hadden gedaan, was hij er vandaag.

Blahblahblah... totaal ongeschikt. Onze excuses voor deze vergissing.

Ineens kon ze haast niet meer lopen van de spanning.

'O alstublieft,' fluisterde ze. 'Laat het een goeie brief zijn, laat het een goeie brief zijn. Ik wil het zó graag! Ik beloof dat ik meteen als ik thuis ben de pasjes ga oefenen.'

Dat moest namelijk van Tanja, elke dag een half uurtje. Maar gisteren had ze het niet gedaan vanwege die spierpijn. Misschien werd ze daar wel voor gestraft.

'Echt waar, vanaf vandaag zal ik het elke dag doen. O, laat het alstublieft een goeie brief zijn!'

Er lag geen brief en de volgende dag ook niet. Demi had het niet meer.

'Eten jij!' zei haar moeder 's avonds aan tafel.

'Anders word je het type Slank Skelet,' zei haar vader. Hij lachte smakelijk om zijn eigen grap. 'En die werd in de brief niet genoemd!'

'Slanke slet?' vroeg Robin met een onschuldig gezicht.

Demi legde haar bestek neer. Boenk boenk, ging haar hart.

'Hé, hé!' zei haar moeder streng tegen Robin.

'Brief? Welke brief?' vroeg Demi.

Haar vader zat nog steeds te grinniken. 'Sukkel is ook een type met een S. Maar of veel mensen zich daarin herkennen? Weten sukkels van zichzelf dat ze dat zijn?'

'De vraag stellen is hem beantwoorden,' mompelde Robin.

'Welke brief?!' vroeg Demi.

'Hans, geef dat kind nou eens antwoord!' zei haar moeder.

'Het contract van die Mark de Bont,' zei haar vader. 'Het lag dinsdag in de bus. Goed dat je het zegt, ik laat hem morgen even checken door Van Wasburg.'

'En dat zeg je nu pas!' Robin had nu ook zijn bestek neergelegd.

'Dus ik mag blijven?' vroeg Demi met een dun stemmetje.

'Ja natuurlijk!' zei haar vader. 'Was dat nog maar de vraag dan?'

10

'Schiet nou o-hop!!' Demi stond al minstens een half uur klaar. Robin zou haar brengen, maar hij moest natuurlijk weer eerst douchen.

'Mens, we hebben tijd zat!' zei hij, terwijl hij zijn haar droogwreef. 'Zal ik eens nadoen hoe je er vorige week om deze tijd bij zat?'

'Nee, dank je wel. Kom nou maar.'

Eindelijk was hij klaar. Demi had zijn fiets al voor het huis gezet.

'O nee, hè?' riep Robin. 'Lekke band!'

'Ha ha,' zei Demi. Ze had de fiets ongeveer vierendertig keer gecontroleerd.

Eíndelijk gingen ze.

Gelukkig fietste Robin hard. Demi moest hem met beide armen omklemmen om er niet af te vallen.

Zou er iemand afgewezen zijn? Had ze wel genoeg geoefend? Kwamen ze wel op tijd?

Het antwoord op de laatste vraag was: ja. Ruim op tijd zette Robin haar af voor de deur van de studio. Demi keek snel om zich heen en gaf hem toen een kus. Dat deed ze ook altijd voordat ze naar school ging en ook voor het slapengaan.

Robin reed weg, er werd een autodeur dichtgeklapt en daar was Roy.

'Handig als je vriendje je wegbrengt!' Hij glimlachte en hield de deur van de studio voor haar open.

Met een kop als een kokende ketel liep ze naar binnen.

'Goeiemorgen dames!' zei Roy.

'Goeiemorgen Roy!'

Demi zag zichzelf in de spiegel achter de bar. Goeiemorgen aardbei, dacht ze.

'Deempie!' riep Kes.

Met z'n drieën zaten ze aan een tafeltje: Kes, Macy en Sabrina. Pfff, niemand afgewezen!

Roy glimlachte. 'Mooi weer en mooie meisjes, wat een perfecte dag!'

'Slijmbal!' zei Kes vriendelijk.

Mark de Bont kwam binnen. 'Ha, daar is het groepje dat mij rijk gaat maken!' riep hij. 'Roy, jij mag meteen door naar de fotostudio.'

Roy verdween en Mark kwam aan hun tafeltje zitten. 'Dames, gefeliciteerd, jullie mogen allemaal door,' zei hij. 'We hebben nog twee hele dagen, vandaag en morgen. Morgen maken we een clipje van jullie. Dat sturen we op naar Popzouten, en daarna horen we of we in het programma mogen. Ik geef toe dat het een strakke planning is, maar we gáán het redden!' Hij vertelde hoe de rest van de dag eruit ging zien, maar Demi luisterde maar half.

Er is dus een kans dat ik aan Popzouten ga meedoen, dacht ze verbijsterd. De hele school zal mij op de tv zien.

Zeg, dat lijkt Demi wel.

Wie, stille Demi? Uit onze klas?

Ja, kijk dan, daar achteraan, ze is het echt, hoor!

Hoe had ze zich ooit druk kunnen maken over een spreekbeurt?

'Oké, dames: actie!' Mark de Bont knipte met zijn vingers. 'Jullie beginnen met zangles.'

Ze kwamen in een soort klaslokaal met vier stoeltjes en een piano erin.

De zangjuf was een vriendelijk, grijs duifje van een jaar of vijftig.

'Zou ze de zus van mevrouw Dirkje zijn?' vroeg Demi zachtjes aan Kes.

Kes moest lachen. 'Mevrouw Dirkje? Bedoel je mevrouw Veldhof?'

O ja, ze heette eigenlijk mevrouw Veldhof.

'Meisjes, ik ben Maria, we gaan vandaag kijken hoe jullie stemmen liggen.'

Nee, ze was geen zus, want ze praatte met een buitenlands accent. Ze zei bijvoorbeeld 'zieten' in plaats van 'zitten'.

Macy was eerst, ze moest 'Altijd is Kortjakje ziek' zingen. Ze ging bij de piano staan en zong.

Wat is ze toch rustig, dacht Demi vol bewondering.

'Heel goed,' zei Maria.

Toen Kes. Het was eerder roepen dan zingen wat ze deed, maar het klonk erg grappig.

'Goed zo, Kes! Past mooi bij je type. Demi, alsjeblieft.'

Help, nu al! Zij mocht toch altijd laatst? Ze ging bij de piano staan.

Niet 'broek vol zilverwerk' zingen, dacht ze. 'Boek' is het. Een broek vol zilverwerk, dat heeft een inbreker die net...

'Toe maar, Demi!'

Met geknepen keel zong ze het liedje. Klaar. Gauw weer zitten met die bibberbenen.

Maria zei niets, de anderen ook niet. Was het heel erg geweest? Te pieperig, zeker. Of ook vals?

'Ik sta stijf van het kippenvel!' riep Kes toen.

'Mooi, joh!' zei Sabrina, en Macy knikte.

'Dat was erg bijzonder, kind!' zei Maria.

Ze bleven maar naar haar kijken. Demi wilde haar hoofd het liefst even ín de piano steken.

'Volgende, graag,' zei Maria, maar ze keek nog steeds naar Demi.

Sabrina ging staan. 'Niet lachen, hoor!' Ze veegde een lok uit haar ogen en zong.

Nou ja, zong... De tekst klopte, maar daar was dan ook alles mee gezegd.

Maria's voorhoofd had een diepe frons gekregen. 'Meisje, jij gaat playbacken.'

Gelukkig zat Sabrina er niet mee. 'Ik ben net een brandalarm, hè? Dat zeggen ze op school ook altijd.' Ze liep heupwiegend terug naar haar stoel.

Hoe weet ze toch hoe ze die sexy bewegingen moet maken, dacht Demi. Oefent ze die, of is ze ermee geboren?

'Oké meisjes, het refreintje.' Maria sloeg een akkoord aan op de piano en zong: *I feel bub-bub-bubbles in my belly!*

O jee, Demi voelde een vreselijke lachstuip opkomen. Maria zong heel deftig, met veel trillingen in haar stem, net een operazangeres.

Everytime I think of you-ou!

Ineens brulde Kes het uit. 'Sorry hoor!' Ze sloeg met haar handen op haar dijen. 'U zingt zo grappig!'

Sabrina en Macy lachten meteen mee en toen hield Demi het ook niet meer. Ze stikte er bijna in, de tranen spoten uit haar ogen.

Het kwam dat uur ook niet meer goed. Maria werd niet boos, daar was ze veel te aardig voor. Maar steeds als de meisjes zich weer even konden beheersen, ging zij meteen vol goede moed dat refreintje zingen. En dan barstte de orkaan weer los.

Ze probeerden het heus wel. 'Nu echt stoppen!' zei Macy bijvoorbeeld heel streng, maar met een stem alsof ze net gehuild had. En dan haalden ze alle vier diep adem en keken strak voor zich uit.

'Dank je.' Maria sloeg een akkoord aan. '*I feel...*'

Meer was er niet nodig. Brwoehahaha!!!

Toen mevrouw Dirkje hen kwam halen voor mediatraining, lagen ze met zijn vieren zo ongeveer op de grond.

'Het is een vrolijke kroepje,' zei Maria.

Dat vond Demi zo lief, dat ze zich meteen schaamde.
'Volgende keer zullen we echt serieus doen,' zei ze zacht.
De andere meisjes stonden krom van de buikpijn en hun ogen waren rood van het lachen, maar ze knikten instemmend.
'Dat zweren we u!' zei Kes ook nog.

11

Na mediatraining kregen ze dansles, en toen mochten ze weer in bad om te ontspannen.

Terwijl ze heerlijk lagen te bubbelen, vertelde Sabrina ineens dat ze verliefd was.

'Of nou ja, verliefd is een groot woord. Ik vind hem gewoon heel leuk. En jullie kennen hem,' zei ze.

'Wie is het dan?' vroeg Kes.

'Nico, nou goed?' riep Sabrina verontwaardigd.

Roy zeker, dacht Demi. Of Mark de Bont? Ze durfde het niet te vragen.

'Roy?' vroeg Kes.

Sabrina knikte tevreden.

'Dat meen je niet!' Kreunend liet Macy zich onder water zakken.

'Zij vindt hem zeker weer een gladjanus,' zei Demi.

'Nee, volgens mij...' Kes pakte Macy bij haar hoofd en trok haar omhoog. 'Vind jij hem soms ook leuk?'

Macy keek betrapt.

'Nou...' zei Kes geheimzinnig. 'Dan moet ik jullie nu iets vertellen.'

'Nee, niet jij ook!!' riep Macy.

Kes probeerde te fluiten, maar dat ging niet vanwege het water.

Sabrina trappelde joelend met haar benen zodat het water over de rand gutste. 'Ik dacht dat jij op zo'n stoere skater zou vallen, of op een graffity-jongen.'

'Ik val overal op,' zei Kes. 'Zelfs op de knutseljuf!' Ze keek heel ondeugend en haar blonde kuif hing plat over haar voorhoofd.

‘En jij, schaduwmeisje?’ vroeg Sabrina plagerig.

‘Ik vind hem wel leuk, maar ik ben niet verliefd op hem,’ zei Demi.

‘Ben jij al eens verliefd geweest?’ vroeg Macy.

Gewoon eerlijk zeggen, dacht Demi. Ze schudde haar hoofd.

‘Nog nóóit?’ Sabrina’s ogen puilden uit van verbazing.

‘Kan toch!’ zei Kes.

‘Tja, alles kan.’ Sabrina moest duidelijk even aan het idee wennen.

Op school zou Demi na zoiets totaal in paniek zijn. Zij had iets stoms gezegd, ze zou erbuiten vallen, ze zouden haar uitlachen...

Nu dacht ze: kan toch?

‘Wij zijn ook alle drie dik een jaar ouder dan Demi,’ zei Macy.

Kes knikte. ‘Wacht maar, volgend jaar verovert het schaduwmeisje de mannenwereld.’

‘Even alle gekheid op een stokje!’ zei Sabrina toen. ‘Hij is van mij.’

‘Op Roy zijn stokje, zul je bedoelen. Hij mag toch zeker wel zelf kiezen!’ riep Kes.

‘Dames, het is tijd!’ Mevrouw Dirkje stak haar hoofd om de hoek van de deur. ‘Nico wacht op jullie in de kantine voor de lunch. Roy komt ook. Vanmiddag gaan jullie nieuwe kleding passen, dus trek nu maar lekker je trainingspak aan.’

Zodra de deur weer dicht was, gingen ze verder over Roy.

‘Het is echt een probleem, hoor!’ zei Kes. ‘Kijk, als hij met Sabrina wil, ben ik zo jaloers dat ik haar wel dood kan bijten. Maar dan moet ik toch gewoon gezellig met haar dansen.’

‘Tja, that’s life,’ zei Sabrina. Zij ging er duidelijk van uit dat Roy háár zou willen.

‘Jij denkt zeker dat alle jongens op sexy vallen.’ Kes stapte uit bad en glibberde voorzichtig naar de handdoeken toe. ‘Maar dat is echt niet zo. Jongens kunnen ontzettend onzeker zijn. En dan houden ze juist van een pittige tante.’ Ze sloeg als een gorilla op haar borst.

'Roy is niet onzeker, hij is bescheiden,' zei Macy stellig.

Sabrina knikte. 'Precies! En dat soort jongens moet je een handje helpen door zelf verkering te vragen.'

Ze waren ineens allemaal stil.

Macy stapte ook uit het water en bleef druipend staan. 'Ik heb een plan: we vragen het geen van allen!'

'Ja dag!' zei Sabrina meteen. 'Zo'n lekker ding laat ik echt niet lopen.'

Macy schudde haar hoofd. 'Niemand vraagt iets en we laten niets aan hem merken. We wachten tot na de finale van Popzouten.'

'Goed idee!' riep Kes. 'Dat is veel gezelliger voor onze huppelclub. Zo hoeft er niemand jaloers te zijn.'

Sabrina sloot haar ogen en dacht na. Demi keek naar haar, ze begreep wel dat Sabrina zo zeker van haar zaak was. Ook zonder make-up en met natte haren was ze bloedmooi.

'Oké,' zei Sabrina toen. 'Jullie krijgen uitstel van liefdesverdriet.'

Kes liep naar haar toe en duwde haar hoofd onder water. 'Wat een arrogant stuk vreten ben jij, zeg!' riep ze.

Luid proestend kwam Sabrina weer boven. 'Maar na de finale vraag ik hem. Geen seconde later!'

'En als hij ons geen van allen hoeft?' vroeg Kes. 'Bijvoorbeeld omdat hij al een vriendin heeft?'

'Niet van die rare dingen zeggen.' Eindelijk stapte Sabrina ook uit het water.

Demi keek naar haar mooie lichaam. 'En als hij al eerder verkering aan één van jullie vraagt?' vroeg ze.

Macy dacht na. 'Dan heeft diegene geluk,' zei ze.

'Een van óns, bedoel je,' zei Kes tegen Demi. 'Hij kan jou toch ook willen! Verlegen meisjes zijn juist hartstikke sexy!'

'Geloof je het zelf?' Demi liep grinnikend naar de handdoeken en sloeg er een om zich heen.

'Ik doe wel even lippenstift op,' mompelde Sabrina. 'Ik heb zulke droge lippen.'

'Ja hoor, droge lippen. Heb je wel eens van labello gehoord, sjansbek!' riep Kes.

Sabrina moest er hard om lachen. Zij had er duidelijk plezier in als Kes haar pestte.

Misschien worden zíj wel vriendinnen, dacht Demi.

'Nou, doen we het?' vroeg Macy, die intussen al aangekleed was.

'Ik vind het wel een komisch plannetje,' zei Kes. 'Maar wat doen we als we niet door de voorrondes komen?'

'Dan vragen we hem op de avond dat we worden afgewezen,' zei Macy.

'Oké, ik doe mee,' zei Sabrina. Ze had haar trainingsjack om haar middel geknoopt en zag er erg verleidelijk uit.

Ze gingen dicht bij elkaar staan, Demi deed maar gewoon mee.

'We beloven dat we geen verkering aan Roy vragen tot na de finale,' zei Macy.

Kes en Sabrina knikten.

'En ook geen geflirt en gesjans.' Kes keek naar Sabrina. 'Dat geldt vooral voor jou, slettebakje!'

'Ik doe toch niks!' Sabrina liep heupwiegend naar de deur, met alleen maar dat jackje om haar heupen.

'Nee, nee, zij doet niks!' zei Kes.

12

Toen ze in de kantine kwamen, was alleen Nico er. 'Dames, ga lekker zitten!' riep hij opgewekt.

Er stond een tafel vol met heerlijke dingen: broodjes, salades, gebakjes...

'Chocolade-croissantjes!' jammerde Sabrina. 'Hoe moet dat nou, ik wilde juist afvallen.'

'Afvallen? Aanvallen!' zei Kes. 'Ik heb honger als een boogie!'

'Ik moet nog even naar de wc,' zei Demi.

Zachtjes zingend liep ze door de gang. Zo gezellig was het met Tiara eigenlijk nooit. Straks de nieuwe kleren passen, spannend! Misschien...

Ineens stond ze stil. Daar was Roy! Door de smalle gang liep hij haar tegemoet.

Doorlopen, gewoon doorlopen!

Hij glimlachte toen hij haar zag. Jemig, hoe kon iemand zo knap zijn! Het leek wel of hij licht gaf. Zeg iets, Demi, praat!

'Hoi Roy!' Terwijl ze het zei, hoorde ze hoe dom dat klonk. Moest hij zeker: 'Hemi Demi' antwoorden.

'Alles goed?' vroeg hij.

Demi knikte.

'Ik zie je zo bij het eten!' Roy gaf een knipoog en liep verder.

Ja, met dat verlegen meisje kun je leuk babbelen hoor, dacht Demi.

Tijdens de lunch kreeg Demi natuurlijk geen hap door haar keel met die mooie Roy tegenover zich. Ze prikte wat met haar vork in een stukje tomaat en luisterde naar Kes, die nadeed hoe Maria gezongen had. Roy moest hard om haar lachen. Er was aan niets te merken dat Kes verliefd op hem was. Aan de andere twee ook niet, trouwens. Sabrina had wel iets traags over zich gekregen, alsof ze het heel, héél warm had.

De enige die zich verliefd gedraagt, ben ik, dacht Demi. Ik moet gauw wat zeggen.

'Ben je zenuwachtig voor *Popzouten*?' vroeg ze.

'Zenuwachtig?' vroeg Roy verbaasd.

Nee, natuurlijk niet! Zo iemand als hij was toch niet zenuwachtig, sukkel!

'Zeker weten en niet zo'n beetje ook!' zei hij toen. Hij vertelde dat zijn broer hem had opgegeven voor de auditie. Uit zichzelf zou hij nooit meegedaan hebben.

'Nee, nee!' zei Kes plagend.

Ze kletsten verder over 'Bubbles in my Belly' en over Popzouten. Demi zei ook gewoon af en toe iets en er vielen geen stiltes.

'Roy, heb jij trouwens verkering?' vroeg Kes op een gegeven moment. Haar vraag kwam totaal uit het niets, maar Roy gaf gewoon antwoord. Namelijk: nee.

'Er zijn zo veel leuke meisjes op de wereld, ik vind het zonde om te kiezen,' zei hij met een zelfverzekerd lachje.

Even zaten er vier meisjes met hun mond vol tanden.

'Welk type zijn jullie nou eigenlijk?' vroeg Roy toen.

Zo van de zijkant durfde Demi wel naar hem te kijken. Hij had grote, bruine ogen en heel lange wimpers voor een jongen. Brede wenkbrauwen, veel gel in zijn haar. Hij droeg een zilveren armband.

'Raad maar,' zei Kes snel.

Hij keek haar onderzoekend aan met pretlichtjes in zijn ogen. Hij vond Kes grappig, dat was duidelijk.

Als hij zo naar mij keek, zou ik ter plekke in een plasje zweet veranderen, dacht Demi.

'Sportief?' probeerde hij. 'Of zat die er niet bij?'

Kes schoot in de lach. 'Ja hoor, ik en sportief!'

'O nee, stoer!' zei Roy. Hij keek naar Macy. 'Jij de stuud?'
'Twee punten,' zei Macy.
Roy wees naar Sabrina: 'Jij bent sexy.'
'You bet, boy.' Sabrina knipoogde.
'Strafpunt!' riep Kes verontwaardigd.

'Niet dan?' vroeg Roy verbaasd.
'Jawel, maar ik bedoel iets anders,' zei Kes, terwijl ze boos naar Sabrina keek.
Sabrina deed of haar neus bloedde.
Alsjeblieft, niet wéér mij overslaan, smeekte Demi.
'En jij?' vroeg Roy toen gelukkig.
Natuurlijk was het weer blozen geblazen. Demi pakte een klein jamkuipje en begon aandachtig te lezen. *Fruit&Vanille* stond erop.
'Wat is er dan nog over...' Roy moest diep nadenken.
Verleidelijk lekker fruitbeleg.
'O ja, het schaduwmeisje!'
'Vier keer raak, wat een mensenkennis!' zei Kes.
'Meisjeskennis,' verbeterde Roy grijnzend.

Ze zagen Roy pas weer aan het einde van de dag. En ze hadden ook geen tijd om met z'n vieren over de lunch na te praten, want het was een razend druk programma. Eerst mochten ze de kleren passen die speciaal voor hen genaaid waren. Alles was van nepbont gemaakt, met stukjes leer erbij.
Kes had een grote, zwarte pet, een zwart rokje met grote zwarte soldatenschoenen, minstens zes zilveren kettingen om haar middel en een wit gaashemdje over een zwart topje. Daaroverheen kreeg ze een stoer leren jack.
Macy kreeg een rood colbertje met een strakke broek eronder. Haar navel was net zichtbaar. Demi's kleren waren grijs: een rokje tot boven de knie, een strak, kort truitje en een haarband. Eerst vond ze het saai, al dat grijs, maar toen ze het aanhad, moest ze toegeven dat het heel leuk stond.

En toen Sabrina. Ze had zich teruggetrokken achter een scherm en kwam als een mannequin te voorschijn.

'Wow!' riep Kes.

Oef, dacht Demi.

Sabrina had een piepklein roze rokje aan, daarbij vergeleken waren de rokjes van Tiara reuzenlappen. Haar korte truitje stond strakgespannen over haar borsten, die waren al behoorlijk en dat mocht de hele wereld weten. Ze droeg opengewerkte schoenen met enorme hakken, waardoor ze ineens een kop groter was dan de andere meisjes.

'Wat een sexbom ben jij!' riep Kes. 'Straks ontplof je nog!'

Sabrina lachte gevleid. Toen ze zichzelf en elkaar uitgebreid bewonderd hadden, werden ze opgemaakt door twee grimeuses. Daarna hadden ze een fotosessie, waarbij Sabrina uitblonk als model. Demi deed het trouwens ook erg goed, maar dan per ongeluk. Jemig, wat was ze weer verlegen met al die lampen en flitslichten. Toen nog een uur dansen, douchen en klaar.

Mark de Bont wachtte hen op in de kantine.

'Het gaat super!' zei hij. 'Ik heb de proefafdrukjes van de foto's al gezien, jullie worden een hit! Kes, jij krijgt morgen een neptatoeage op je schouder, help de grimeuse onthouden. Jullie hebben alle drie een navelpiercinkje, hè? En jij, eh... hoe heet jij ook alweer?'

'Ze heet Demi!' zei Kes boos.

'Ja, jij krijgt morgen een plakpiercing in je navel. Niet vergeten. Morgen nemen we het auditiefilmpje op. Dan oefenen jullie dus de hele dag met Roy samen.'

'Goh, gezellig,' zei Sabrina droog.

'Ik heb er álle vertrouwen in. Tot morgen!' Mark keek op zijn horloge en liep snel verder.

Net toen ze bij de deur stonden, kwam Roy binnen. Hij had natte haren en zijn gezicht was rood van het hete douchen.

'Poepig, die haartjes,' zei Kes zacht.

Roy stak zijn hand op. 'Tot morgen! Lekker slapen allemaal!'

'Dank je, jij ook!' zei Macy heel, héél gewoon.

'Bind me vast,' fluisterde Sabrina.

'Doei Roy!' zei Demi.

Shit! 'Doei Roy' en 'Hoi Roy'! Dat klonk allebei zo debiel! Dachten die andere drie daar eerst over na, of zo?

'Doei Demi,' zei Roy.

13

De volgende dag had Macy haar bril niet op.

'Vergeten, suf van me, hè?' zei ze.

Kes en Sabrina lachten haar vierkant uit en toen snapte Demi pas dat ze het expres had gedaan, voor Roy natuurlijk. Ze keek eens goed naar Macy. Een heel mooi meisje met een bril, dat was ze eigenlijk. En nu was ze dus gewoon een heel mooi meisje.

'Straks sodemieter je tijdens Popzouten van het podium af,' zei Sabrina.

'Popsodemieteren,' zei Kes.

Ze zaten aan een tafeltje in de kantine. Nico had thee gebracht en vier aardbeientaartjes. Het wachten was op Mark de Bont.

En op Roy.

'Zijn jullie het nog?' vroeg Demi. Het was haar al opgevallen dat niemand van het gebakje at.

Kes zuchtte diep. 'Véél erger dan gisteren. Het is er vannacht echt ingeschoten bij mij.' Ze sloeg met haar vuist op haar hart. 'Boem, boem, boem,' zei ze dreigend.

Sabrina steunde met haar hoofd op haar handen en staarde in de verte. 'Ik ben nog nooit zo verliefd geweest,' fluisterde ze. 'Als ik inadem denk ik: Roy. Als ik uitadem: Roy. En zo de hele nacht door. Ik heb nog geen uur geslapen.' Ze zag er inderdaad minder fris uit dan de andere dagen.

'Ik kan niet meer eten,' zei Macy. 'Als ik eraan denk, word ik al misselijk.'

'Boem, boem, boem,' deed Kes weer. 'De ziekte van Roy.'

'Zo dames!' Daar was Mark. 'Vandaag gaan we het filmpje dus schieten. Jullie mogen naar de kleedkamer gaan...' Hij fronste zijn wenkbrauwen en keek naar Macy. 'Waar is je bril?'

'Thuis,' zei Macy zonder blikken of blozen.

Mark keek geïrriteerd. 'Dat kan niet, hè! Als je hem zaterdag vergeet, is het een ramp!'

De buitendeur ging open, Roy kwam binnen. 'Goeiemorgen allemaal!'

'Ha, goeiemorgen!' zei Mark. 'Omkleden en allemaal naar de dansstudio, alsjeblieft.' Hij liep weg, maar keek nog even om naar Macy. 'Zaterdag je bril mee, jongedame.'

Macy antwoordde niet. Het leek wel of ze betoverd was. Met lege ogen staarde ze naar de deur waardoor Roy was binnengekomen. Ze had een dommige glimlach om haar mond. Er was echt niets meer over van de slimme stuud.

Sabrina was weer op slowmotion overgestapt. Ze roerde in haar thee alsof er dikke pap in haar kopje zat. En Kes bewoog al helemaal niet meer. Demi was stomverbaasd. Wat een ziekte, die verliefdheid!

Roy pakte een stoel en schoof aan hun tafeltje.

Als ík niets zeg, doet niemand het, dacht Demi.

'Moet jij van ver komen?' vroeg ze. Ze bloosde niet, voor zover ze kon inschatten.

Roy knikte. 'Utrecht. Ik ben gisteren wezen stappen in Amsterdam, ik geloof dat ik twee uurtjes heb geslapen.'

'Mm,' deed Macy.

Sabrina knikte en Kes het standbeeld kuchte.

Demi moest haar best doen om niet te lachen. Ze schoof Macy's gebakje naar Roy. 'Wil jij?'

'Nee, dank je,' zei Roy. 'Hoe is het met jullie?'

Demi wachtte even, maar het antwoord moest duidelijk van haar komen. 'Wij zijn zenuwachtig,' zei ze.

'Ook al staan jullie op de achtergrond?' vroeg Roy verrast.

De drie anderen knikten. De types Suf, Sloom en Stijf: Welkom bij Belly B! Demi kon er niets aan doen, ze schoot keihard in de lach. Gauw stond ze op. 'Kom, we moeten gaan!'

Ze moesten nu dansen en tegelijkertijd zingen. Zowel Tanja als Maria was er steeds bij. Mark de Bont en mevrouw Dirkje kwamen af en toe meekijken.

De meisjes stonden achter Roy, maar ze konden elkaar wel zien via de spiegelwand.

'Niet zo naar zijn kontje loeren,' siste Kes, die weer praatjes had gekregen.

'Dat gaat onbewust,' zei Sabrina.

Kes danste anders dan gisteren. Ze stampte niet meer zo en haar bewegingen waren een beetje sexy geworden.

Tanja zag het ook. 'Niet versoepelen, Kes. Hou dat stoere erin!'

Toen ze net bezig waren had Roy zich omgedraaid. 'Te gek, zoals jij danst!' zei hij tegen Macy.

'Dank je,' antwoordde Macy rustig.

Zou hij ook verliefd geworden zijn? vroeg Demi zich af. En zo ja, op wie? Op Macy?

I feel bub-bub-bubbles in my belly...

'Pas op, Demi, je ziet er steeds minder verlegen uit!' waarschuwde Tanja.

O ja, omlaag blijven kijken, schouders iets omhoog.

'Sabrina, je staat niet in een nachtclub!' riep Tanja. 'Minder met je heupen doen!'

Roy lachte en gaf Sabrina een knipoog via de spiegel.

Toch Sabrina, dacht Demi.

Tussendoor mochten ze even lunchen, en meteen daarna weer door. Ditmaal met twee cameramannen erbij, want het auditiefilmpje moest gemaakt worden. Ze zongen en dansten het nummer steeds maar weer opnieuw, achter elkaar door, terwijl de camera's naast, boven en onder hen aan het filmen waren.

Ondertussen kregen ze aanwijzingen toegeschreeuwd. Vooral Roy had het zwaar.

'Roy, uithalen bij *Love*!' riep Maria. 'En bij *Never ever* wil ik een snikje horen!'

Ze sprak het uit als 'sniekje'.

'Sabrina, helemaal playbacken! Dus ook niet zachtjes meehummen!'

'Niet naar de meisjes kijken, Roy!' riep Tanja. 'Zij kijken wel naar jou!'

'You bet,' zei Sabrina.

Kes stond enorm te zweten, het leek wel alsof ze onder de douche stond. 'Over bubbels gesproken, wanneer mogen we weer in bad?' hijgde ze.

'En met wie?' fluisterde Sabrina.

'Hou vol, Kes. Shuffle, kick, boogie, kick!'

Bubbles in my Belly, Bubbles in my Belly, toen het eindelijk vijf uur was, kon Demi het niet meer hóren. Maar de cameramannen staken hun duim op. 'Het staat erop, mensen!'

Ook Mark was tevreden. 'Vrijdag bellen we jullie op om te vertellen of we door de audities gekomen zijn.'

14

Demi had toch maar besloten om op school haar mond te houden over Belly B. Misschien kwamen ze niet eens door de auditieronde en dan had ze het voor niets verteld.

Gelukkig was er die week veel afleiding vanwege Popzouten op school. Ze oefenden alle vrije minuutjes die ze hadden. Op donderdag bleven ze zelfs in de pauze in de klas om te oefenen.

Eerst stond Demi keurig op haar plekje op de achtergrond, maar toen ze in de gaten had dat Ella en Tiara geen seconde naar haar keken, ging ze gewoon zitten. Iris zat ook allang een Suske&Wiske te lezen.

Demi verveelde zich. Nee, ze baalde dat ze zo braaf bleef zitten. Nee, eigenlijk ergerde ze zich groen en geel!

Het schaduwmeisje is het zat, dacht ze.

Zonder verder na te denken stond ze op. 'Ik ga naar buiten.'

'Nee, Demi. Straks mogen jullie!' Tiara werd nijdig.

'Wij mogen alleen maar naar jullie kijken.' Demi hoorde dat haar stem trilde, maar dat kon haar niets schelen. 'Ik doe niet meer mee. Ik wil niet meer de hele tijd achter jou staan.'

'Maar de achtergrond is ook belangrijk,' legde Tiara geduldig uit.

'Zet dan maar een plant neer,' zei Demi. Zo rustig mogelijk verliet ze de klas.

Ze hoorde Iris en Ella lachen. Tevreden liep ze naar buiten. Mmm, lekker zonnetje!

De rest van de dag hadden ze het er niet meer over. Tiara deed erg druk en lacherig en had enorm veel te vertellen aan iedereen behalve aan Demi. Met vrij lezen ging ze naast Ella zitten, omdat die nou precíés het boek koos dat zij ook wilde lezen. Tijdens gym rende ze steeds achter Joël aan, zogenaamd om hem te pesten. Pesten? Joël wist wel beter: Tiara wilde verkering met hem. Maar Demi wist nóg beter: Tiara wilde niet bij Demi staan.

Dan niet, dacht Demi stoer.

Na school wachtte ze nog even om te kijken of Tiara meeliep, maar die haakte schaterend haar arm in die van Ella. 'Kom, we gaan snoep kopen en dan naar mijn huis,' zei ze.

En nu?

Ik ga naar Robin, dacht Demi. Die weet wel wat ik moet doen.

Maar toen ze bij de pizzeria was, sloeg ze ineens linksaf. Ze wist zelf natuurlijk ook wel wat ze moest doen.

Ze liep naar Tiara's huis en ging op het tuinmuurtje zitten. Tiara kon elk moment komen. Natuurlijk was Ella er ook bij, maar dat moest dan maar. Demi was nog steeds rustig. Misschien had ze in een week tijd alle zenuwen voor de rest van haar leven opgebrand.

Daar kwamen ze. Oei, wat was die straat lang. Moest ze nou naar hen kijken of naar haar voeten. Of afwisselend?

Tiara begon al zodra ze binnen gehoorsafstand was. 'Je mag wel weer meedoen, maar dan moet je wel ons plannetje doen, Demi!'

Arm in arm stonden Tiara en Ella voor het muurtje. Demi moest omhoogkijken en ook nog eens tegen de zon in. Ze haalde diep adem. 'Ik ga zaterdag meedoen aan Popzouten.'

Ella en Tiara barstten in lachen uit.

'Ik ben al twee weken aan het oefenen.' En toen vertelde Demi zo kort mogelijk over Belly B.

Eerst bleven ze allebei heel lang stil. Toen zei Ella: 'En dat moet ik zeker geloven.'

'Het is echt, eerlijk waar,' zei Demi.

'Dus... jíj gaat met Popzouten meedoen?!' vroeg Ella.

Demi knikte. 'Misschien. Maar alleen als achtergrondgroepje, hoor.'

'Tssss,' deed Tiara.

'Wow, Demi!' riep Ella.

'Had je me ook wel eens eerder kunnen vertellen,' zei Tiara.

'Zien we je morgen dus op tv?' vroeg Ella.

'Misschien,' antwoordde Demi weer. 'Als we door de selectie komen. Je moet eerst een filmpje insturen.'

Tiara keek net zo verbaasd als toen die keer met Jill.

'Sorry,' zei Demi. 'Ik durfde het niet te vertellen.' De zon was zo fel dat ze Tiara's gezicht nauwelijks kon zien.

'Schijnheilig,' zei Tiara langzaam.

Type met een S, dacht Demi automatisch.

Ella gaf Tiara een stomp tegen haar schouder. 'Hè zeurpiet! Het is toch leuk? Ik ga mooi zeggen dat ik je ken, hoor Demi!'

Tiara draaide zich om. 'Ik ga,' zei ze.

Demi bleef nog even zitten en liep toen langzaam naar huis. Een week geleden zou ze nu hondsberoerd zijn. Nu dacht ze alleen maar: Hè hè, en daarna: Ziezo!

De volgende dag was het zover.

Er hadden zich achtendertig kinderen ingeschreven, de rest van de school was publiek. De aula was zo aangekleed dat het net op het echte Popzouten leek.

Alle kandidaten werden bij elkaar in een klaslokaal gepropt. Het waren vooral meisjes die meededen, maar er zaten ook een paar jongens bij. Die gingen hiphoppen of streetdancen. O ja, en Berend ging *Een leven zonder jou* zingen.

Berend was al sinds groep vier verliefd op Tiara. Het bijzondere was dat hij zich daar absoluut niet voor schaamde. Bij tekenles maakte hij regelmatig een groot hart waar hij Tiara onder schreef en hij stuurde haar trouw elk jaar een valentijnskaart. Tiara had wel honderd keer gezegd dat ze niet verliefd op hem was, de ene keer nog botter dan de andere. Maar voor Berend maakte dat niets uit. 'Dat weet ik,' zei hij dan vriendelijk. 'Maar ik wel op jou.'

Het duurde nu al zo lang dat iedereen het normaal was gaan vinden. Niemand keek er dan ook van op dat hij vandaag zijn liefdeslied voor haar ging zingen.

Demi ging een beetje achterin zitten, bij de andere kinderen uit hun klas die niet meededen. Ongeveer vijf minuten voordat

het ging beginnen schoof Iris ineens naast haar.

'Ik heb gezegd dat ze er nog maar een plant naast moeten zetten,' zei ze. 'Wat een kattenkoppen zeg!'

'Goed zo!' fluisterde Demi.

Alle kinderen in de zaal hadden een rood bordje. Wanneer ze genoeg hadden van een nummer, staken ze dat bordje in de lucht. Als juf Alouette het rood genoeg vond in de zaal, drukte ze op de toeter: *Pèp!!* Popzouten!

De eerste kandidaat werd al na twee regeltjes weggetoeterd.

Nummer twee was een groepje: drie meisjes die iets onduidelijks zongen. *Pèp!!* Ze hadden niet eens het refrein gehaald.

Toen kwam Berend. Hij mocht het hele lied uitzingen en hij kreeg ook nog een donderend applaus!

Na ongeveer een kwartier waren Tiara en Ella. Iris stak meteen haar bordje in de lucht. Daar moest Demi wel om lachen, maar ze besloot ook meteen om haar bordje niet te gebruiken deze keer. *Pèp!!* Dat was de toeter, Popzouten!

Demi keek op de klok: dertig seconden. Oei, het was te hopen dat Belly B het langer volhield! Het was blijkbaar een kritische zaal, de meeste kandidaten werden binnen twee minuten weggetoeterd.

Toen juf Alouette om drie uur bekendmaakte wie er gewonnen had, was niemand verbaasd: Berend natuurlijk. Hij kreeg een enorme beker, die hij in de lucht stak alsof hij een voetbalkampioen was. 'Tiara, hij is voor jou!' riep hij.

Vrijdagavond. Demi keek strak naar de telefoon en prevelde: 'Goed nieuws goed nieuws goed nieuws.'

'Demi, ga wat dóén!' riep haar moeder. 'Misschien bellen ze pas om elf uur!'

'Sssst, ik moet me concentreren,' zei Demi, zonder haar blik van de telefoon af te halen. 'Goed nieuws.'

Toen hij eindelijk ging, schrok ze zo dat ze een gil gaf. Ze liet hem twee keer overgaan, ademde zo rustig mogelijk en nam toen op.

'Met Demi.'

'Met Kes, heb jij al iets gehoord?'

'Nee, ik kán haast niet meer!'

'Ik ook niet. Mijn vader heeft de skippybal voor me uit de schuur gehaald, dan kan ik mijn zenuwen eruit wippen. Nou, ik hang op, want zo meteen belt hij, dag!'

Demi legde neer, controleerde de zoemtoon en legde nog eens neer.

Meteen ging hij weer.

'Met Demi.'

'Met mevrouw Veldhof. Demi, jullie zijn erdoor!' Mevrouw Dirkje!

Demi kneep de telefoon bijna fijn, zo blij was ze.

'Morgen om vier uur verzamelen in de studio. Gefeliciteerd meid! Tot morgen, lekker slapen vannacht.'

15

Mevrouw Dirkje stond bij de deur van de studio en zwaaide hen uit. Heel fanatiek, met twee armen tegelijk. Haar onderkin blubberde vrolijk mee.

'Hebben we er zin in?' riep Nico. Hij startte het busje en reed luid toeterend weg.

Er was plek in de bus voor acht passagiers, drie op de achterbank, twee ervoor, nog eens twee ervoor en dan nog één naast de bestuurder. De meisjes hadden zich met z'n vieren op de achterbank gepropt. Ze waren onder handen genomen door een speciaal grimeer- en kappersteam en zagen er nu werkelijk prachtig uit. Hun kapsels waren regelrechte kunstwerken. Ook hadden ze hun Belly B-kleren al aan, want in de Bavo-hal was niet genoeg kleedruimte voor zo veel mensen.

Op Nico na was iedereen stilletjes. De spanning voor het optreden hing voelbaar in de lucht. Zelfs Maria en Tanja leken nerveus te zijn.

Mark zat naast Nico, maar hij had zich omgedraaid om met Roy te kunnen praten. Het leek wel of er iets was, een probleem of een meningsverschil. Ze bleven doorpraten totdat ze er waren.

Bij de ingang van de Bavo-hal stond een man die alle deelnemers ontving. Hij keek op een lijst. 'Belly B? Ik zie het nergens staan, hoor!'

'Bij Roy,' legde Mark uit.

'O, Roy en Belly B. Ja, ik zie het. Nummer vijfendertig.'

Ze kregen een sticker met het nummer erop. Dat gaf nog even een probleem omdat de man geen plek bij Sabrina kon vinden om hem op te plakken. Haar topje was zo klein als een bh en haar rokje was van nepbont, dus daar bleef de sticker niet goed op plakken.

'Hier!' Sabrina keerde haar rug naar hem toe. Inderdaad, ze had twee kontzakjes van leer, daar zou de sticker wel blijven zitten. Goed idee, vond de man, maar of ze hem er zelf even op wilde plakken.

'Iedereen die niet meedoet, gaat naar de zaal. Kandidaten wachten in het restaurantgedeelte,' zei hij. 'Jullie begeleidster komt vanzelf naar jullie toe.'

Dus moesten Mark, Nico, Tanja en Maria afscheid nemen. Ze zeiden alle vier nog heel veel, over concentratie en plezier uitstralen en lef en dit en dat, maar Demi wist zeker dat niemand echt luisterde.

Daarna liepen Roy en de meisjes naar het restaurantgedeelte waar ze aan een tafeltje gingen zitten. Er zaten een stuk of honderd mensen en je kon in één oogopslag zien dat er iets spannends ging gebeuren.

'Ik moet poepen,' zei Kes en ze rende weg.

'Nummers één tot en met vijf: naar de tussenkamer alsjeblieft!' werd er ineens omgeroepen.

Nu ging het echt beginnen! Demi keek om zich heen. Een handjevol mensen liep weg. Hoe wisten die waar de... O ja, er hing een groot bord op een deur met: TUSSENKAMER.

Sabrina zat vreselijk met haar benen te wiebelen en op haar nagels te bijten. Net een toneelspeelster die overdreven 'zenuwen' uitbeeldde. Macy zat stil voor zich uit te kijken en Demi zat ineens te klappertanden van de kou.

Maar Roy was er het ergst aan toe. Jeetje, wat zag hij er zenuwachtig uit, zeg! Of nee, hij was bang, doodsbang. Demi had echt medelijden met hem.

Boven de deur hing een groot tv-scherm. Daarop kon je zien wat er op het podium gebeurde. De eerste kandidate kwam op en begon meteen belachelijk wild te dansen. Het leek wel of ze een vreselijke jeukaanval had.

'Hallo!' Er kwam een barbie-achtige vrouw bij hun tafeltje staan. 'Welkom bij Popzouten! Ik ben Lonneke. Jullie zijn nummertje vijfendertig, hè?' Ze had een kinderstemmetje. 'Jullie mogen hier lekker wachten totdat je wordt omgeroepen. Dan breng ik jullie naar de tussenkamer en daar krijg je lekker een microfoontje om.'

Pèp! Demi zag op het scherm dat het meisje was weggetoeterd. De klok kwam in beeld: achtendertig seconden.

'De zaal is bommetje vol,' ging Lonneke verder. 'En de sfeer is toppie!' Ze liep door naar het volgende tafeltje en Demi hoorde dat ze daar precies hetzelfde zei.

Ondertussen was Kes teruggekomen en meteen weer opgestaan. 'Alweer poepen,' zei ze benauwd. 'Dit gaat niet goed!' En weg was ze.

'Het artiestenleven bestaat voor een groot deel uit wachten,' had Mark tijdens mediatraining gezegd. Nou, hij kreeg meteen gelijk, nummer vier was nu aan de beurt. Nog dertig kandidaten te gaan...

Na een tijdje kwam Kes er weer bij zitten.

'En?' vroeg Macy.

'Ik heb Nico een sms'je gestuurd of hij misschien iets tegen diaree bij zich had,' zei Kes.

'En?' vroeg Macy weer.

Kes knikte. 'Hij kwam meteen. Wat is het toch een schatje!'

'Wat kreeg je dan?' vroeg Demi.

'Een kurk,' zei Kes. 'Nee hoor, een pilletje. O kijk!' Ze wees naar het scherm. 'Die hebben hem uitgezongen!' Inderdaad, twee meisjes hadden drie volle minuten gehaald.

Demi wilde niet steeds naar het scherm kijken, daar werd ze veel te nerveus van.

Ineens was het zover: 'Nummers eenendertig tot en met vijfendertig: tussenkamer. Nummers eenendertig tot en met vijfendertig: tussenkamer.'

Roy kreunde.

'Gaat het wel?' vroeg Demi.

'Ah man, dit is echt niks voor mij.' Er kwam nog een piepklein lachje te voorschijn, maar hij had het duidelijk erg zwaar.

In de tussenkamer kon je de angst van de voorgangers letterlijk ruiken. Drie jolige technici hingen de zendmicrofoontjes om. Ze maakten allemaal grapjes, vooral over het ruimtegebrek op Sabrina's kleren, maar de meisjes waren nu echt te zenuwachtig om te reageren. Ook hier stond een televisie waarop het programma te volgen was.

'Nummer drieëndertig: eddy, ready, go!' zei Lonneke.

Een meisje van een jaar of achttien met haar tot over haar billen stond op.

'Succes!' zei Kes.

Het meisje bedankte en liep door de deur. De tussenkamer was geluidsdicht, maar als je eruit stapte, stond je ineens bijna op het podium, zo dichtbij was het. Demi moest aan Tiara denken, waarom wist ze niet, en hupla: daar kwam het meisje alweer terug. Zo snel was ze weggetoeterd! Ze huilde alsof ze bekogeld was.

'Heeft... heeft ze eigenlijk wel gezongen?' vroeg Kes geschrokken.

Macy schoot in een zenuwenlach.

Nummer vierendertig ging op: drie dikke jongens in overalls.

'Succes,' zei Kes weer.

'Oké, nummertje vijfendertig, staan jullie klaar?' kraaide Lonneke.

Ja, dat stonden ze.

'Moet je mijn hart voelen,' fluisterde Demi tegen Macy.

Die trok geschrokken haar hand terug. 'Wel blijven leven, hoor!' fluisterde ze.

16

Pèp!

De drie jongens waren een behoorlijk eind gekomen, maar werden nu dus toch weggetoeterd.

'Oké, nummertje vijfendertig, eddy, ready, go!' zei Lonneke. 'Loop maar naar het licht toe.'

'Hier zijn Roy en BELLY B!!' riep Erik Hoes, de presentator.

Roy kreunde.

'Succes, ik hou van jullie!' fluisterde Macy.

Demi kreeg een duwtje van Lonneke en daar gingen ze. In een oorverdovend applaus kwamen ze op. De spots waren zo fel dat Demi meteen stekeblind was. Niet met je ogen knijpen of extra veel knipperen, had Mark hun geleerd.

De muziek begon. Demi ging in de bevroren starthouding staan. Tot haar grote schrik bibberden haar benen verschrikkelijk! Het leek wel of ze op een trilapparaat stond, zo erg ging ze heen en weer!

'*Mmm, mmmm.*' Roy begon altijd met neuriën. Wat was hij ineens rustig en stevig.

Daar waren de vier knallen op de drums... en gaan!

Rechts, shuffle, klap, boogie. Terug, shuffle, klap, boogie...

'Niet tellen, gewoon op je gevoel doen,' zei Tanja altijd.

De zaal was niet meer dan een pikzwart, zwijgend gat.

'*I feel bub-bub-bubbles in my belly,*
everytime I think of you-ou!'

Oeps, Macy stapte de verkeerde kant uit. Gelukkig ging ze gewoon door. Demi gluurde naar de klok, ook al had Mark dat ten strengste verboden.

Eén minuut tien.

Tweede couplet. Roy zong fantastisch!

Demi voelde dat het goed ging. De zenuwen waren verdwenen, ze voelde zich superwoman, ze danste heerlijk, ze danste geweldig!

'*I feel bub-bub-bubbles in my belly...*'

Twee minuut veertig.

'*So could you, could you, could you...*' Roy zong en klapte in de maat met zijn handen boven zijn hoofd. De zaal deed meteen mee.

'*Mmm, mmm...*'

Slotakkoord... en applaus.

En nu? Demi keek naar links... O! Buigen natuurlijk!

Te laat. Zwaaien en afrennen.

Ze omhelsden elkaar juichend en liepen als een stuurloos dier op tien poten terug naar de tussenkamer. Ze kusten elkaar. Iedereen kreeg een zoen van Roy. Ze schaterden alsof ze de leukste mop van de wereld hadden gehoord. Kes schreeuwde, Macy joelde...

Lonneke trok hen mee naar de artiestenfoyer, waar de kandidaten zaten die al geweest waren. De drie bolle jongens hadden ruzie, het meisje met de lange haren zat nog vreselijk te huilen. Een man en een vrouw, waarschijnlijk haar ouders, probeerden haar te troosten.

'Ik zei het je toch? Ze hebben geen smaak!' zei de vrouw.

De man knikte. 'Je zit gewoon beneden je niveau. Ze begrijpen je hier niet.'

Bij de deur stonden Mark en de dames. Kes liep meteen op ze af. 'We are the champions!' zong ze.

Demi voelde meteen dat er iets niet klopte. Wat waren ze kil en afstandelijk!

'Gefeliciteerd, hoor!' zei mevrouw Dirkje.

Mark knikte.

Weg blijdschap.

'Is er soms iemand overleden in de tussentijd?' vroeg Kes.

'Ik spreek jullie na afloop wel.' Mark sloeg een arm om Roy en feliciteerde hem uitbundig.

FLITS! Precies op dat moment werd er een foto gemaakt.

'De pers,' zei Macy zacht.

Een vrouw duwde een joekel van een microfoon onder Roys neus. 'Wat gaat er nu door je heen?' vroeg ze.

'Ja Roy,' zei Sabrina meteen. 'Wat gaat er eigenlijk door je heen?'

Er was weinig tijd voor een interview, want ze moesten het podium weer op. Er waren in totaal twaalf nummers tot het einde uitgezongen. Die kandidaten mochten volgende week terugkomen.

Ze werden bejubeld door Erik Hoes en het applaus leek wel een orkaan. Maar Demi kon er niet meer van genieten. Wat was er met Mark aan de hand? Wat hadden ze verkeerd gedaan?

'Dus ik zou zeggen: tot volgende week!' riep Erik Hoes.

Weer applaus en klaar.

Ze gingen allemaal terug met het busje. Hun ouders zouden straks ook naar de studio komen. Hier in deze enorme massa konden ze elkaar toch niet vinden.

'Samen uit, samen thuis,' hadden ze op de heenweg geroepen. Maar nu had Demi daar een beetje spijt van. De sfeer in de bus was ijzig en gespannen.

Nico probeerde er nog iets van te maken. 'We zijn er bij-ijna,' zong hij, toen hij het parkeerterrein van de Bavo-hal af reed.

Mark en Roy zaten weer voorin. Mark was druk aan het praten, Roy luisterde en knikte.

'Misschien is Mark ook wel verliefd op hem,' zei Macy zacht.

De anderen giechelden.

'Waarom kunnen we nou niet blij zijn?' vroeg Demi.

‘Hé Mark!’ riep Kes. ‘Waarom doe je zo kouwelijk tegen ons?’

Mark draaide zich meteen om. ‘Luister goed, dames.’ Hij was echt woedend, bleek nu. Wat was er dan toch aan de hand?

‘Als ik gewoon vier mooie meiden op de achtergrond had willen hebben, had ik díé wel genomen. Geen probleem, ze staan rijendik te dringen. Maar wat ik juist wilde waren die vier types!’ Hij bulderde alsof hij een legerleider was. De meisjes hielden geschrokken hun mond. ‘Demi, je stond te dansen als een doorgewinterde popzangeres. Macy, jij was een goedkoop danseresje! Sabrina was véél te preuts.’ Hij wees naar Kes. ‘En wat jij deed leek helemaal nergens op.’

‘Ik laat me heus niet uitkafferen, hoor!’ zei Kes.

‘Precies, zo ken ik je weer,’ zei Mark. ‘Maar ik wil dat jullie dat op het podium laten zien! Het concept van die types is een gat in de markt. Jullie kunnen nummer één van Nederland worden, en meer dan dat. Maar zoals het nu ging, zo zijn er dertien in een dozijn. Je wint dan misschien de finale wel met zo’n kanjer als Roy ervoor, maar de dag erna zijn jullie door iedereen vergeten. En daar heb ik natuurlijk niets aan. Ik investeer duizenden euro’s in dit project, het mag simpelweg niet mislukken. Het is geen weeksluitinkje op school, het is big business! Ik eis tweehonderd procent inzet van jullie.’

‘Ik had het helemaal niet in de gaten,’ zei Macy zacht.

‘Dan ben je nu dus gewaarschuwd. Jullie hebben het kunnen uitzingen dankzij Roy. De volgende keer wil ik overduidelijk die vier types op dat podium zien.’ Hij dempte zijn stem, waardoor hij nog dreigender klonk. ‘En anders zingt Roy die finale in zijn eentje. Jullie hebben een contract getekend, dames, en daar staat dit allemaal in.’

Demi’s ouders en Robin waren vreselijk enthousiast. Ze hadden haar opgehaald bij de studio en raakten niet uitgepraat over het optreden.

'Ik wist echt niet dat jij zo goed kon dansen!' riep Robin, die naast Demi op de achterbank zat.

'Ik eigenlijk ook niet,' antwoordde Demi.

'Lekker nummertje.' Hun vader neuriede *Bubbles in my Belly*.

'En wat een leuke meiden zijn die andere drie,' vond haar moeder.

Demi knikte. 'Héél leuk,' zei ze.

De hele zondag ging de telefoon, echt achter elkaar door. Heel Nederland keek naar Popzouten, dat was wel duidelijk. Oude kennissen, vrienden van vrienden, de neef van de overbuurman... je kon het zo gek niet bedenken of ze belden.

Iedereen zei ongeveer hetzelfde: 'Ik had het nóóit achter jou gezocht, Demi.' En: 'Hoe kwamen ze aan jou?' En: 'Wat een leuke jongen.'

En de hele klas belde. Nee, bijna de hele klas, want Tiara liet niets van zich horen.

Op maandagochtend stond ze ook niet bij de pizzeria. Demi bleef nog even wachten, maar ze wist eigenlijk al genoeg. Nou, dan niet.

Op naar de tweede hindernis: school. Tijdens mediatraining had Mark ook aandacht besteed aan de eerste schooldag na een optreden. Daar was Demi nu blij mee.

'Geef antwoord op alle vragen,' zei hij. 'Maar hou het zo kort mogelijk. Stel zelf ook vragen, zodat de kinderen weten dat jij heus nog wel over iets anders kunt praten. Ze verwachten min of meer dat je arrogant bent geworden. Blijf dus bescheiden, het liefst een beetje té. Leid de aandacht maar af. Het gaat vanzelf over.'

'Hé! Belly B!!'

Ze keek om. Berend! Die keek dus ook naar Popzouten.

'Mooi liedje,' zei Berend. 'Ik vond dat ene linkse meisje leuk. Ze leek wel een beetje op Tiara.'

Berend viel op sexy, dat was duidelijk.

O ja, aandacht afleiden. 'Ik vond jouw liedje ook mooi,' zei Demi.

Hap, deed Berend. Hij vertelde dat hij er thuis allemaal gebaren bij had geoefend, maar dat hij die stuk voor stuk vergeten was. Demi moest lachen. Berend had inderdaad als een lantaarnpaal staan zingen.

Langzaam maar zeker kwamen er steeds meer kinderen om haar heen staan en op een gegeven moment ook meesters en juffen. Uit haar ooghoeken zag ze dat Tiara bij de fietsen stond. Die was natuurlijk écht niet geïnteresseerd in Demi's succes.

'Hoe zijn ze aan jou gekomen?' vroeg Iris.

'Ik werd op straat aangesproken,' antwoordde Demi. Ze had al besloten om niet 'ontdekt' te zeggen, dat stond verwaand.

'Door een vrouw van het castingbureau, gewoon hier voor de school,' riep Ella op een toon alsof ze er zelf bij was geweest.

'Ben je nou rijk?' vroeg Kevin.

'Nee gek, ze heeft toch nog niets verdiend?' riep Sam.

Maar Mark de Bont kreeg gelijk. Op een gegeven moment nam de belangstelling af en deed iedereen weer gewoon.

In de klas gaf de meester Demi heel deftig een hand. 'Je hebt ons een mooie poets gebakken door nog niets te vertellen,' zei hij.

'Ik durfde het niet,' bekende Demi. 'Maar achteraf heb ik spijt dat ik zo lang gewacht heb.'

'Maakt toch niets uit?' zei Ella.

Dat vonden de anderen ook allemaal.

Nou ja, bijna allemaal...

17

'Niet te veel cola drinken, anders sta je straks in die microfoon te boeren,' waarschuwde Mark.

Ze zaten in de artiestenfoyer van de Bavo-hal, klaar voor de halve finale! Twaalf optredens waren er: vijf solisten, drie duo's, drie trio's en één solist met achtergrondkoortje, namelijk Roy met Belly B.

Demi gluurde om zich heen. Niemand zei veel. Er werden vooral veel bierviltjes versnipperd. Sommige kandidaten maakten wel een praatje met elkaar, maar de meesten staarden nerveus voor zich uit, zachtjes neuriënd om de stem los te maken.

Lonneke liep ook weer rond. Volgens haar was de sfeer weer toppie en de zaal bommetje vol.

Toen werd de eerste kandidaat omgeroepen. Popzouten ging beginnen!

'Daar is de pers,' mompelde Mark ineens. 'Roy, lachen jongen!'

Roy duwde braaf zijn mondhoeken omhoog. Demi maakte zich zorgen om hem. Hij gedroeg zich alsof hij straks geopereerd moest worden.

Flits, flits, flits, drie foto's. Demi zette snel haar verlegen gezicht op. Ze zag Sabrina ook plotseling zwoel kijken. In het busje had Mark wéér een preek gehouden over de vier types, en de boodschap zat er goed ingepompt.

'Heb je er een beetje zin in?' vroeg een interviewster aan Roy.

'Ik vind het schitterend dat ik deze kans krijg,' antwoordde hij, met de levenslust van een robot. De interviewster liep naar een ander tafeltje.

Roy keek totaal wanhopig naar Mark. 'Ik trek het niet, hoor!' zei hij.

Mark zuchtte. 'Loop maar even mee.'

'Arme Roy,' zei Macy toen ze weg waren.

Ineens stond Kes op. 'Racekak!' piepte ze. 'Vraag snel of Nico me wat brengt!' En weg was ze.

Nico zat al in de zaal, samen met mevrouw Dirkje, Maria en Tanja. Macy pakte haar mobiel en begon te sms'en: *Kurk 4 Kes, graag.*

Daarna ging alles vrij snel. Mark kwam terug met Roy. Die keek ineens kalm en tevreden uit zijn ogen. Demi was benieuwd wat Mark allemaal gezegd had.

Kes kwam terug, ook met een gerust gezicht. 'Poeh, poeh,' zei ze. 'Hoera voor de pilletjes!'

'Zeg dat wel,' zei Mark. 'Mensen, jullie moeten gaan. Succes, en denk aan wat ik gezegd heb!'

Met zijn vijven liepen ze naar de tussenkamer. Demi had het zo druk met verlegen zijn, of zeg maar: verlegen spélen, dat ze eigenlijk nauwelijks zenuwachtig was.

'Wil je je microfoontje links of rechts?' vroeg de technicus aan Roy.

'Och, maakt me niet uit, hoor,' antwoordde Roy glimlachend.

Demi keek even naar hem. Hij maakte nu wel een érg ontspannen indruk.

'Zeg, heb jij soms iets geslikt, of zo?' vroeg Macy.

Hij hoorde het niet eens.

Demi keek naar de televisie. De vorige kandidaten, twee jonge meisjes, waren net klaar met zingen en werden nu bekritiseerd door de jury.

'En dan vraag ik me af waarom jullie voor die combinatie gekozen hebben,' zei Angie Brim. Demi kende haar van MTV.

'Straks staan wij daar!' fluisterde Sabrina.

'Ik zeg gewoon: Effe dimmen, Brim!' zei Kes stoer.

Ze gingen weer hand in hand in een kring staan.

Er ontbreekt iets, dacht Demi. Het is zo anders dan de vorige keer!

'...luid applaus voor Roy met Belly B!!'

'Succes!' fluisterde Macy nog. En daar gingen ze.

Verlegen, dacht Demi. Verlegen, boogie, links. Verlegen. Hoofd omlaag, shuffle.

'I feel bub-bub-bubbles...'

Het ging goed: ze maakte geen fouten, ze keek niet op of om, ze was een echt schaduwmeisje.

Klaar.

Ze had geen idee hoe de anderen het hadden gedaan.

'Hoe vond je het gaan?' vroeg Erik Hoes aan Roy.

'Nou, best wel lekker. Ik zat er goed in en ik voelde echt wat ik zong,' zei Roy.

Dat heeft hij uit zijn hoofd geleerd, dacht Demi.

'Ik ben benieuwd wat de jury ervan vindt!' Erik Hoes hield zijn arm om Roys schouders en draaide zich om naar de jurytafel.

'Tja...' begon Bert Vlaminck, directeur van de Nederlandse popschool. 'Ik vond het eerlijk gezegd...' Hij zocht naar een woord.

'Een dooie boel,' vulde Angie Brim aan.

'Ja, precies!' zei Bert. 'Jullie vorige optreden sprankelde en fonkelde, daar zat echt pit in!'

Ook Tim Plavei, het derde jurylid, knikte. 'Ik was de vorige keer nogal onder de indruk van jou,' zei hij, duidelijk tegen Demi.

Van mij?? dacht ze.

'Ik vraag me af waarom je nu zo bescheten deed! Was je ineens verlegen?'

'Ik weet het zo gauw niet, eh, even denken...' zei Demi.

Ze kon wel kotsen van haar eigen antwoord.

‘Ze hadden gelijk,’ zei Macy zodra ze weer in de artiestenfoyer zaten.

‘Nou en?’ Mark was de enige die tevreden was. ‘De jury kan me nog meer vertellen, maar het publiek gaat zo meteen beslissen. En die hebben gezien wat mijn bedoeling was! Jullie zijn erdoor, let op mijn woorden. Denk eraan, daar staat de pers.’

Flits, flits, er werden inderdaad aan de lopende band foto’s gemaakt.

Demi keek naar Roy. Hij leunde met zijn hoofd op zijn hand, zijn ogen waren lodderig en klein. Het leek wel of hij bijna in slaap sukkelde.

‘Ik wil het niet meer zo! We staan voor aap! Ik ben Kes, ik ben niet dat meisje dat jij in je hoofd hebt!’ Kes was zo kwaad dat de tranen in haar ogen stonden.

Mark glimlachte. ‘Wacht maar, Kesje, straks zit je in de finale en dan ben je me dankbaar.’

‘Ik heet geen Kesje.’

Demi voelde zelf ook de tranen prikken. Wat een sloom, duf antwoord had ze gegeven! Ze had moeten zeggen: ‘Dank u voor het compliment! Het was de opdracht van Mark de Bont dat ik nu zo bescheten deed.’

‘Roy en Belly B: terug naar het podium!’ riep Lonneke.

De kandidaten zaten in een rijtje naast elkaar op het podium. Heel langzaam en vol spanning noemde Erik Hoes hun namen nog eens op. Na elke naam mochten de mensen in de zaal op hun klikkertje drukken. Groen was blijven en rood was: opzouten!

Eindelijk voelde Demi de zenuwen die ze de hele dag al verwacht had.

Het publiek was zo stil dat je alleen de klikkertjes hoorde tikken. Alles werd geregistreerd door een computer. Langzaam kwam de uitslag in beeld... de twee meisjes hadden honderd procent rood, dat was dus alvast popzouten.

Vierenvijftig procent had op rood gedrukt bij Belly B. Een jongen, Virginio heette hij, had twintig procent rood, die zat zeker in de finale. Vierentwintig procent voor twee jongens die allebei Bas heetten en die zich dus de Bassen noemden, die zaten er ook in...

'Net als vorig jaar zijn de heren weer zeer populair!' lachte Erik Hoes. 'Hebben we soms weer een zaal vol meisjes?'

Er klonk gejuich en boegeroep.

Verder. Klik, klik, klik...

Zevenenvijftig procent rood voor dat ene meisje...

'We zitten erin,' zei Macy verbaasd.

'En de derde kandidaat...' Erik Hoes keek naar het scorebord. 'Met drrrie stemmen voorsprong, wat een ongelooflijk klein verschil... ROY EN BELLY B!!!'

'Ben je blij?' Demi schoof naast Roy in het busje.

Kes, Sabrina en Macy mochten natuurlijk niet naast hem zitten, ze vertrouwden elkaar voor geen millimeter.

Een week geleden zou Demi nog bang zijn dat hij dacht: jemig, zit ik de hele reis met zo'n saaie sok opgescheept. Nu voelde ze zich volkomen op haar gemak.

'Nee,' antwoordde Roy. 'Ik baal alleen maar dat ik volgende week weer moet. Shit man, dit is echt niets voor mij.'

'Maar het ging toch goed?' vroeg Demi.

'Ja, vind je het gek? Ik had drie kalmeringspillen van Mark gekregen. Ik was net een dronken zombie!'

O, vandaar.

'Dat moet je volgende week niet doen, hoor!' zei Demi. 'Je kwam heel duf over.'

'Maar ik ging bijna over mijn nek van de zenuwen.' Hij ging verzitten zodat ze elkaar konden aankijken. Ineens glimlachte hij en was hij weer de oude, zelfverzekerde Roy. 'Hé Demi,' zei hij. 'Jij bent helemaal geen schaduwmeisje. Jij bent een zonnemeisje!' Hij raakte even haar wang aan. 'Tof dat je naast me ging zitten.'

18

Toen Demi zondagochtend wakker werd, dacht ze eerst dat ze weer spierpijn had. Voorzichtig draaide ze zich op haar rug. Nee, het was toch iets anders. Het begon in haar buik en straalde uit naar de rest van haar lichaam. Pijn was het juiste woord niet. Kramp? Zenuwen? Ja, misschien wel. Haar hartslag was minstens twee keer zo hoog als normaal.

Boem, boem, boem, dacht ze.

De Ziekte van Roy.

AHA!

Dus zo voelde dat.

Ze dacht aan zijn ogen met de lange wimpers. Als hij nadacht, keek hij naar linksboven, alsof hij zijn hersenen afzocht. Ze dacht aan zijn mond, hij glimlachte veel en lang. Die zilveren armband tegen de achtergrond van de bruin-zwarte haartjes van zijn arm.

Je bent geen schaduwmeisje, je bent een zonnemeisje.

Hoe hij keek als Kes een grapje maakte, alsof hij haar wel kon opvreten. De knipoog naar Sabrina. Demi draaide zich weer op haar zij. Au! Eigenlijk had ze wel spierpijn: hartspierpijn!

Roy.

De hele zondag liep Demi in een shock rond. Als iemand iets vroeg, hoorde ze het niet. Eten was uitgesloten. Ze botste tegen dichte deuren aan en ze had om de tel de slappe lach.

Er kwamen ooms en tantes langs om haar te feliciteren, en de buren en Ella en Iris...

Af en toe belden er journalisten. De een vroeg wat haar lievelingsdier was en of ze van winkelen hield en de ander vroeg of ze het niet discriminerend vond dat er vier meisjes op de achtergrond moesten staan.

Demi kroop braaf in de huid van het schaduwmeisje, terwijl ze zich helemáál niet zo voelde. Ze gaf juist licht, ze straalde, ze fonkelde, ze gloeide!

Roy.

Toen ze 's avonds in bed lag, had Roy al minstens tweehonderd keer bekend dat hij vreselijk verliefd op haar was. Zij had al die tweehonderd keer verteld dat zij hetzelfde voelde en dat het voor haar de eerste keer was. Soms had hij bloemen bij zich, soms vertelde hij het snel en stiekem op de gang, omdat het niet leuk was voor de andere drie meisjes. Een paar keer kwam hij bij haar thuis. Tring! 'Demi, er is iemand voor je. Ene Roy!'

Hetzelfde, maar dan aan de telefoon. 'Demi, voor jou! Roy, of zo.'

Een brief. *Lieve Demi, wil je me opbellen als het je uitkomt? Zo snel mogelijk, alsjeblieft. Roy.*

Helaas, allemaal alleen maar in haar hoofd, in haar buik.

Roy, Roy, ROY.

Zaterdag zag ze hem pas weer.

Ik weet niet of ik dat wel red, dacht ze paniekerig.

Nog zes nachten slapen. Nou ja, slapen... was dat maar waar.

Op maandag stond Tiara bij de pizzeria. Heel gewoon. 'Hai!' zei ze, en ze stak haar arm door die van Demi.

Ik wil dit niet, dacht Demi. Zo onopvallend mogelijk trok ze haar arm weer los.

Stomtoevallig had Tiara op een paard gereden dat Boy heette! Natuurlijk deed ze daar uitgebreid verslag van terwijl ze naar school liepen. Steeds als ze 'Boy' zei, voelde Demi een stroomstootje in haar buik.

'Boy is heerlijk zacht!' zei Tiara bijvoorbeeld. 'Het is zo lekker om over die haartjes achter zijn oren te aaien.'

Demi werd er duizelig van. Het leek wel of ze een soort gas had ingeademd, roze Roy-gas.

'O ja, ik ben gisteren gebeld door iemand van Girls-magazine!' zei Tiara. 'Ze hadden gehoord dat ik jouw beste vriendin ben. Ze moesten alles weten, zeg! Ook over mij. Ik heb wel een uur aan de lijn gehangen.'

Dus daarom doet ze weer aardig, dacht Demi kwaad.

'Bellen ze achter mijn rug om!' zei ze. 'En wat heb je gezegd?'

'Nou, dat je verlegen bent en heel lief.'

Demi raakte steeds meer geïrriteerd. 'Ik ben toch niet alleen maar verlegen?'

'Nee, natuurlijk niet,' zei Tiara. 'Maar dat willen die lui nou eenmaal horen. Hoe is die jongen?'

'Roy?' Mmm, lekker om zijn naam te zeggen... 'Leuk,' antwoordde ze.

'Kun je me niet eens aan hem voorstellen?' vroeg Tiara met een samenzweerderig lachje.

Alsof hij in haar geïnteresseerd zou zijn!

Ineens zakte Demi haast door haar knieën van schrik. Want wie kwam daar aan? Aan de andere kant van de straat? Heel rustig, met zijn handen in de zakken van zijn spijkerbroek?

ROY!

Hij was hierheen gekomen. Dat kon maar één ding betekenen...

Ik kan niet meer zonder jou, Demi.

'Tiara,' zei Demi zacht, zonder haar ogen van Roy af te halen. 'Ik moet je wat vertellen.'

Nieuwsgierig stond Tiara stil.

Roy kwam steeds dichterbij en... veranderde ineens in Sam.

Het was gewoon Sam. Blonde, kleine Sam. De enige overeenkomst was de spijkerbroek.

Ik word gek, dacht Demi.

'Wat!' Tiara werd ongeduldig.

'Ehm, daar is Sam.'

'Boeiend, zeg,' zei Tiara verbaasd. Toen gaf ze Demi opnieuw een arm. 'Wat wilde je net nou vertellen?'

'Ik wou zeggen,' begon Demi, '...dat wij volgens mij geen vriendinnen zijn. Vriendinnen doen heel anders tegen elkaar.'

Had ze dat echt gezegd?

Tiara trok snel haar arm terug, maar ze zei niets.

'Ik moet altijd precies doen wat jij wil, anders word je pissig,' zei Demi. Ze hoorde dat ze op Kes leek zoals ze nu praatte, maar dat had Tiara natuurlijk niet in de gaten. 'En nou doe je ineens weer aardig vanwege Belly B.'

'Tsss, wat denk jij wel niet!' Tiara draaide zich met een ruk om en liep het schoolplein op. 'Hoi El!' riep ze.

'Hoi.' Ella liep haar straal voorbij. 'Demi, ik heb je gisteren gezien!'

Demi had geen tijd om er verder over na te denken. Weer kreeg ze een overdosis belangstelling op het schoolplein, er hing zelfs een spandoek met: *Demi, gefeliciteerd!*

Maar het nam ook weer snel af en toen was alles weer gewoon. Nou ja, gewoon...

Tiara ging naast Yona zitten, die duidelijk niet begreep waar ze dat aan verdiend had.

Ella schoof meteen naast Demi en vertelde dat haar moeder Roy zo'n goeie zanger vond.

Roy...

Zo'n verliefdheid neemt toch hopelijk wel af, net als spierpijn? dacht Demi bezorgd.

De meiden van Belly B belden elkaar nu ook tussendoor. Dan kletsten ze over Popzouten en over de finale en natuurlijk over...

'Pietje Favorietje,' zei Kes op woensdagmiddag door de telefoon. 'Het hele land is op hem, weet je dat?'

Demi zat op de schommelbank in de tuin. Wanhopig keek ze

naar de knalroze rozen die vlak voor haar stonden te schitteren.

'Wat denk jij? Zou hij echt zo'n simpel mannetje zijn dat hij op Sabrina valt?' vroeg Kes.

'Roy is geen simpel mannetje,' zei Demi meteen.

'O, pardon hoor!' Kes moest lachen. 'Weet je, gisteren in het busje dacht ik ineens dat hij op jou was.'

'OP MIJ?' riep Demi.

O lieve God, dank U wel, dacht ze.

'Als drie honden vechten om één been...' zei Kes.

'Mijn moeder was helemaal weg van jou,' zei Demi, omdat ze iets heel aardigs terug wilde zeggen.

'O,' zei Kes. 'Nou, heeft je moeder al verkering?'

Demi glimlachte. Ze ging op haar rug op de bank liggen met de hoorn tegen haar oor gedrukt. Ze keek naar de strakblauwe lucht en ze voelde zich zielsgelukkig.

'Hé, jij moet wel zo'n angstig muisje blijven, hoor!' riep Kes. 'Anders gaat Mark ons deleten.'

'En jij een stoere soldaat,' zei Demi.

'Daar zal ik voor zorgen. Tot zaterdag, Deem!'

'Tot zaterdag.'

'Nog even: denk je dat Roy op stoere soldaten valt?'

'Roy niet, maar mijn moeder wel,' antwoordde Demi.

19

'Sorry dat ik je stoor.'

'Dat geeft niet, Roy. Wat zie je er slecht uit!'

'Demi, ik ga kapot!'

'Kom binnen. Mijn ouders en mijn broer zijn er niet. Ga gauw zitten en vertel maar wat er is. Ik help je wel.'

'Maar dat kun je niet! Juist jij niet!'

Ze gaat naast hem zitten en streelt de haartjes op zijn arm. 'Ik kan het toch proberen?' zegt ze voorzichtig.

Hij verbergt zijn gezicht in zijn handen. Zachtjes wrijft ze over zijn rug. 'Demi, ik ben zo verliefd op jou,' fluistert hij dan...

Demi dacht amper aan de finale. Het was Roy, steeds maar weer Roy.

Daar kwam nog bij dat de gekte van Popzouten nu echt landelijk was losgebarsten. In alle kranten en tijdschriften werd erover geschreven. Zelfs de deftige kranten die het normaal alleen maar over politiek hadden, plaatsten nu een artikel over Popzouten. En om de een of andere reden kozen de meesten voor een foto van Roy.

Demi snapte die reden wel.

Zucht.

Ook de pers was weg van hem.

Overal op straat zag je foto's van de finalisten, achter ramen en in winkels. *Stem Roy!* stond er. Of: *Stem de Bassen*, of: *Stem Virginio.*

Belly B was bedoeld als achtergrondkoortje, en zo waren ze ook ontvangen. Toch zag Demi ook hier en daar foto's van Belly B. Er stond bijvoorbeeld een enquête in de YEZZ:

Who-R-U?

Je moest twintig vragen beantwoorden, en dan kreeg je als uitslag of je Kes, Macy, Sabrina of Demi was. *Belly B: that's me!*

Toen ze op zaterdagochtend wakker werd, stond ze van top tot teen onder stroom. Ze was diep, diep wanhopig en tegelijkertijd zo gelukkig als ze nog nooit in haar hele leven geweest was.

Ze waste zich, trok haar kleren aan en weer uit en andere aan en weer uit en zo nog een tijdje door totdat ze het minst stomme dan maar aanhield.

In de keuken zaten haar moeder en Robin te ontbijten.

'Robin, je hoeft me vandaag niet naar de studio te brengen, hoor. Ik kan wel alleen.' Ze ging zitten en schonk thee in.

Haar moeder schoof een boterham met pindakaas onder Demi's neus.

'O, mooi is dat, heb je soms een ander?' vroeg Robin zogenaamd beledigd.

Demi legde een stukje karton met stijfsel op haar tong, tenminste, zo smaakte het.

'Ik wil liever dat Robin even meefietst, het is zo'n drukke weg,' zei haar moeder. 'En éét nou toch eens!'

'Ik ben geen baby meer!' riep Demi.

'Nou, ik wil het in ieder geval niet hebben.' Haar moeder stond op en liep naar de wc.

'Wat is er nou?' vroeg Robin snel.

Oei, moeilijk.

'Ik vind het stom als ze denken dat jij... dat wij...'

Robin snapte het meteen. 'Verkering hebben?'

Demi zuchtte diep.

'En als ik je nou heel hard "zus" noem?' vroeg Robin, terwijl hij een stuk van Demi's boterham in zijn mond stak.

Demi keek even naar de deur. 'Robin, ik moet je wat vertellen. Ik ben zo verliefd,' fluisterde ze snel.

Zodra ze het uitgesproken had, sloeg het weer in alle hevigheid toe. Ze kon bijna niet meer rechtop blijven zitten.

Robin keek haar verrukt aan. 'Welkom bij de club! Op dat zangertje?'

Demi knikte. Ja, op dat zangertje...

Uiteindelijk bracht haar vader haar weg. Die oplossing had Robin bedacht. 'Die Roy zal toch niet denken dat je een vriendje van bijna vijftig hebt,' zei hij.

Toen ze de studio binnenliep, zaten de andere drie er al. Ze werd zo hartelijk begroet dat ze er ontroerd van raakte. Gek, ze was vandaag zo snel ontroerd. Ook net nog in de auto, toen haar vader zei dat hij trots op haar was.

'Is Roy er nog niet?' vroeg ze, terwijl ze ook aan het tafeltje ging zitten.

'O, dat vergeet ik helemaal te vertellen!' riep Kes. 'Hij belde me gisterenavond op om te zeggen dat hij zijn liefde voor mij niet langer geheim kan houden!'

'Ja hoor!' zei Sabrina. 'In je dromen. Hé Macy, waar is je bril?'

Macy deed alsof ze schrok. 'O jeetje!'

'Oei, Mark zal woest zijn!' zei Sabrina.

Macy haalde haar schouders op. 'Nou en?'

Ineens, zonder dat ze het van plan was, zei Demi het. 'Ik moet jullie iets vertellen.' Haar wangen begonnen te gloeien als tosti-ijzers. 'Ik ben ook...' Ze sloeg met haar vuist op haar hart.

De anderen keken haar met glimmende ogen aan.

'Dat meen je niet!' zei Kes dreigend. 'Op Roy?'

Demi knikte.

Gejoel en geschreeuw natuurlijk.

'Maar jij was toch nooit verliefd?' vroeg Sabrina.

'Nog nooit gewéést!' verbeterde Macy.

Kes maakte met haar handen een toeter voor haar mond. 'Welkom bij De Verliefde Huppelclub!' schreeuwde ze.

‘Zijn jullie het ook nog steeds?’ vroeg Demi.

Sabrina knikte. ‘Ik vind alle andere jongens ineens zó stom!’

‘Bèh, ik ook!’ zei Macy met volle instemming.

‘Ik ben elke ochtend om vijf uur wakker,’ zei Kes.

‘EEN HEEL GOEIEMIDDAG, DAMES!’

Daar was Nico. ‘Meid toch,’ zei hij geschrokken, toen hij Demi zag. ‘Heb jij te lang in de zon gezeten?’

O, ze bloosde zeker nog.

‘Ze is verliefd,’ vertelde Kes. ‘Wij allemaal, trouwens.’

‘Ik wist wel dat ik onweerstaanbaar was.’ Nico ging achter de bar staan, sloeg een theedoek over zijn schouder en begon uit volle borst te zingen: ‘*Wij doen samen met één vrijer, hij heet Nico, Nico Meyer!*’

20

Toen Roy binnenkwam, had Demi het gevoel dat ze minstens donkerpaars werd in plaats van rood. Dit was hem dan. Deze jongen had haar betoverd. Hij zag er angstaanjagend slecht uit. Zijn gezicht was vaal en bleek en hij had donkere, blauwachtige kringen onder zijn ogen.

Ook hij had dus wakker gelegen. Demi voelde haar hart bonzen. Van mij, dacht ze. Alsjeblieft, van mij! Maar tegelijkertijd wist ze hoe onnozel die hoop was.

Roy deed heel gewoon, dat wil zeggen lief, schattig, sympathiek, warm, bescheiden en leuk. Sabrina vroeg of hij lekker had geslapen. Haar stem was zwoel en heel laag, bijna zoals een man.

'Gaat wel,' zei Roy. 'En jij?'

Terwijl ze antwoord gaf, namelijk ook 'gaat wel', keek hij haar onderzoekend aan. Sabrina keek terug terwijl ze héél traag met haar ogen knipperde.

Ik hoop dat zij vannacht wimperhaaruitval krijgt, dacht Demi jaloers.

'Interessant gesprek, zeg!' riep Kes.

Roy moest lachen.

Zo grappig is ze nou ook weer niet, hoor, dacht Demi.

'Komt je vriendje vanavond ook?' vroeg Roy ineens.

'Die jij laatst zag, dat was mijn broer,' zei Demi snel. 'Ik heb geen vriendje.'

Kon je ook zo erg blozen dat er bijvoorbeeld adertjes knapten?

Toen kwam Mark de Bont binnen, samen met Maria. Hij was haastig en gestrest, nog erger dan anders.

'Roy, jij gaat mee met Maria, dan kun je even inzingen. Dames, jullie trekken je trainingspak aan en gaan dan naar de grimeerkamer. Wie er wat wil eten, moet het nu doen. We vertrekken om zes uur naar de Bavo-hal.'

Zodra ze met z'n vieren in de kleedkamer waren, plofte Kes neer op de bank. 'Ik word gek! Straks val ik flauw, midden in een boogie. Ik heb jullie echt gemist deze week, maar zodra wonderboy binnenkomt, haat ik jullie tot in mijn tenen!'

De anderen gingen ook zitten. Macy voelde even waar de bank precies stond. Zo slecht zag ze dus zonder bril.

'Ik snap precies wat je bedoelt,' zei Sabrina, terwijl ze haar trainingspak aantrok.

'Ik ook. Als hij naar jullie kijkt, kan ik wel huilen!' bekende Demi.

De anderen knikten.

'Hè, gezellig dat jij nu ook besmet bent,' zei Kes.

Zwijgend gingen ze verder met verkleden.

'Hoe gaan we het eigenlijk doen na de finale?' vroeg Sabrina. 'Lootjes trekken wie hem het eerst mag vragen?'

'Nee, ik heb daar al een idee voor!' zei Kes. 'We doen net als bij Popzouten. Wij gaan op een rijtje staan. Om de beurt stappen we naar voren en dan zegt Roy "ja" of "nee". Als hij "ja" zegt heb je mazzel, als hij "nee" zegt, moet je opzouten. En als hij "misschien" zegt, mag je naar de volgende ronde.'

'Ik heb een veel beter idee,' zei Demi. 'Ik ben de jongste, dus ik mag hem het eerste vragen.'

Kes moest lachen. 'Je geeft licht, schaduwmeisje!'

'Rood licht, welteverstaan,' zei Sabrina.

Demi keek in de spiegel. Inderdaad, waarschijnlijk was ze gewoon door blijven blozen. Alsof je op de bel drukt en het knopje blijft hangen.

In de grimeerkamer werden ze opgewacht door twee meisjes voor het schminken en een voor de haren. Net als de vorige keren mochten ze naast elkaar voor de spiegel gaan zitten. Demi begon zich nu echt zorgen te maken over haar rode hoofd. Zou dat vanuit de zaal ook te zien zijn?

'Jij krijgt vandaag een extra laagje bruin,' zei het ene schminkmeisje. 'Anders oog je zo rood in die spots.'

'Smeer die hele pot er maar lekker op!' riep Demi blij.

Mooi zo! Vanaf nu kon ze blozen wat ze wilde.

'Stil eens!' zei de kapster ineens. Ze hield één vinger in de lucht en luisterde geconcentreerd.

'Ik hoor publiek.'

Ja, Demi hoorde het nu ook. Er was buiten een grote menigte aan het roepen. Het klonk als: 'Hiep, hoi, hoi! Hiep, hoi, hoi! Hiep, hoi, hoi!'

'We want Roy,' fluisterde Macy.

De kapster rende naar de deur. 'Kom!' riep ze.

Met z'n vieren holden ze achter haar aan, met de krullers in hun haar en de schorten nog voor.

Beneden in de kantine stonden Mark en mevrouw Dirkje naar buiten te kijken. 'Achter de bar blijven,' siste Mark. 'Als ze jullie zien nemen ze meteen een foto en dan sta je morgen in alle kranten met die dingen in je haar.'

'Nou en?' vroeg Kes, maar ze bleef netjes achter de bar staan.

Voorzichtig gluurde Demi naar buiten. Ze kon niet geloven wat ze zag. Er stonden wel... duizend mensen! Ze riepen inderdaad: 'We want Roy!' Ze hadden spandoeken met dezelfde tekst, en ook foto's van Roy. Hier en daar waren ook voorgedrukte vlaggen waarop stond: *Belly B, that's me.*

'Wow, echte fans,' zei Sabrina.

Mark draaide zich om. Hij had een uiterst tevreden grijns op zijn gezicht. 'Bingo!' zei hij. 'Ik heb weer eens midden in de roos geschoten.'

'Kicken voor Roy!' zei Kes. 'Waar is hij eigenlijk?'

'Op de wc,' antwoordde mevrouw Dirkje. 'Hij is niet helemaal lekker.'

'Niet helemaal lekker' was zacht uitgedrukt. Net voordat ze moesten vertrekken, kwam Roy pas te voorschijn. Hij droeg een perfect zittende spijkerbroek en een wit T-shirt met een V-hals. Simpele kleren eigenlijk, maar het kón niet beter. Helaas was zijn gezicht zo grauw als een ouwe krant.

'Ook aan de dunne?' vroeg Kes meelevend.

Hij hoorde haar niet eens. 'Is er geen achteruitgang?' vroeg hij benauwd, toen hij de joelende menigte zag.

'Jawel, maar die nemen we niet,' zei Mark. 'We gaan naar die fans toe, we zeggen dat we van ze houden en dat we ze fantastisch vinden.'

Demi keek naar Roy. Mocht ze maar even haar armen om hem heen slaan en lieve, geruststellende kusjes in zijn nek geven...

Een ster is nooit chagrijnig, moe of verveeld, had Mark tijdens mediatraining gezegd. Hoe ging Roy dat voor elkaar krijgen?

'Ehm, kan hij echt niet beter een sluiproute nemen?' vroeg Kes voorzichtig, terwijl ze naar Roy wees.

Mark schudde zijn hoofd. 'Dames, denk aan de types. Roy, laat zien dat je een idool bent. Nico, ga jij vast het busje openmaken.'

Nico liep naar buiten en stak zijn armen in de lucht als een echte popster. Er werd keihard gejoeld en meteen daarna 'boe!' geroepen.

'We want Roy, we want Roy!'

De meisjes moesten verschrikkelijk lachen om Nico.

'Zeg Macy,' zei Mark ineens. 'Waar is jouw bril?'

'O jeetje,' zei Macy weer, zogenaamd geschrokken.

Mark werd niet kwaad, maar begon te glimlachen. Hij klikte zijn koffertje open en haalde er een monsterlijk grote, zwarte bril uit. 'Met vensterglas. Aan alles is gedacht!'

Vol afgrijzen keek Macy naar de bril. 'Die ga ik echt niet opzetten, hoor!'

Mark knikte vriendelijk. 'We hebben een contract, jongedame. Steek hem maar in je zak. Als ik straks in de zaal zit, zie ik een stuudje met een bril. Begrepen?'

Zonder te antwoorden stak Macy de bril in haar zak.

'Oké, Roy, ga je gang!' zei Mark.

'Succes, lieverd,' zei mevrouw Dirkje.

Roy sloot zijn ogen, haalde diep adem... en liep naar buiten.

Het geschreeuw ging over in gegil.

'Jullie erachteraan,' zei Mark.

En daar gingen ze: Stoer, Stuud, Sexy en Schaduw.

Demi zag dat het bijna allemaal meisjes waren die er stonden. Roy was fantastisch, aan niets kon je zien dat hij zich zo beroerd voelde. Hij lachte, gaf handen en nam allerlei cadeautjes in ontvangst. De fans krijsten om hem, ze staken hun armen naar hem uit, sommigen huilden zelfs.

Ga je gang maar, dacht Demi, terwijl ze zorgvuldig bleef glimlachen. Maar ik mag lekker met hem optreden. Helaas wist ze dat Kes, Macy en Sabrina precies hetzelfde dachten.

21

'Drie, twee, een... tune!' zei de technicus.

Onmiddellijk klonk de herkenningsmelodie van Popzouten. Niet alleen op het podium, maar ook op minstens een miljoen televisietoestellen in het hele land.

De finalisten zaten klaar in de tussenkamer, hun begeleiders, ouders en vrienden waren naar de zaal of naar de artiestenfoyer vertrokken. Alleen Lonneke was er nu nog bij, en een jongen van de techniek. Hij had de microfoontjes al aangebracht.

Macy zette zuchtend de bril van Mark op haar neus.

'Je lijkt op Harry Potter,' zei Kes.

'Ja hoor, bedankt.' Macy keek haar boos aan, waardoor ze echt helemaal honderd procent strenge stuud was.

Demi was echt nog nooit in haar leven zo zenuwachtig geweest. Maar toch was ze dit keer niet bang dat ze doodging. Ze maakte zich eerder zorgen om Roy. Wat zat hij te zuchten en te zweten, zeg!

'Gaat het wel met hem?' vroeg Virginio aan Sabrina.

'Jawel hoor,' zei Sabrina geruststellend. 'Zo is hij altijd.'

Ze zat uitstekend in haar rol van zwoel en sexy. En wat een succes had ze! De Bassen, Virginio, de jongen van de techniek, allemaal zaten ze naar haar te loeren. Waarschijnlijk hadden ze dat zelf niet eens in de gaten.

Als ik maar niet hetzelfde bij Roy doe, dacht Demi geschrokken. En meteen keek ze weer naar hem. Er lag nu een waasje zweet over zijn gezicht.

'Roy, je bent toch niet ziek?' vroeg ze zacht.

Hij schudde zijn hoofd.

Ze hoorden Erik Hoes praten, zijn stem klonk dreigend en

zacht. Demi wist nog van vorig jaar hoe goed hij de spanning in de zaal kon opvoeren.

'Je moet jezelf een beetje oppeppen, joh!' zei Kes tegen Roy.

'Heb je niet zo'n kalmeringspilletje van Mark gehad?' vroeg Macy zacht.

'Jawel, maar ik heb overgegeven,' zei Roy.

'Let op, jongens!' fluisterde Lonneke tegen de Bassen.

De technicus had een koptelefoontje op. '...en gaan!' zei hij.

'Succes, succes, succes,' fluisterde iedereen. En weg waren ze.

Roy kreunde.

'Misschien moet je even gaan staan,' probeerde Macy.

Hij gaf geen kik.

'Jemig, krijgen we dát!' zei Lonneke geïrriteerd.

'Heb jullie hier niet van die anti-zenuwpilletjes?' vroeg Kes.

Nee, er was alleen maar paracetamol.

Ze keken een tijdje zwijgend naar een kleine tv die in de hoek stond. Het ging goed met de Bassen, ze waren flitsend en vrolijk.

Toen hun lied klaar was werd er niet alleen geklapt, maar ook gejuicht en gefloten. Daarna was de jury aan het woord.

'Wil je een glaasje water?' vroeg Lonneke aan Roy. En toen hij niet reageerde: 'Wil hij een glaasje water?'

'Weet ik veel.' Kes hield haar mond bij zijn oor. 'Hallo! Roy!'

'Het gaat zo wel weer,' zei Roy hees.

'Virginio, attentie,' zei de technicus.

Virginio stond op. 'Man, wat sta ik te shaken!' zei hij.

'Succes, zet 'm op,' zei iedereen weer.

'Dat gaat niet goed, hoor!' De technicus wees naar Roy met een gezicht alsof hij hem een beetje eng vond. 'Kunnen die meiden niet veel beter zonder hem?'

Kes lachte spottend. 'Dames en heren, hier is het achtergrondkoortje, wilt u de rest er zelf even bijdenken?'

Macy pakte haar mobieltje. 'Ik bel Mark,' zei ze.

'Geen mobiele telefoon gebruiken!' zei de technicus. 'Dan gaat de hele handel storen!'

Roy stond op. 'Ik ga even naar de wc en als ik terugkom is het over.'

Demi schrok van zijn gezicht. Hij zag... ja, groen. Echt zuiver

groen!

'Zal ik even meelopen?' vroeg Macy.

Nee, ik wil hem verzorgen! dacht Demi.

'Hoeft niet.' Roy deed nog iets wat op glimlachen leek en verdween.

Demi keek naar de tv. Zo te zien ging het bij Virginio ook goed.

'Hierna komt de jury, dan een filmpje en dan zijn jullie,' zei Lonneke.

'Hoe moet dat nou!' zei Kes.

'Op het laatste nippertje herstelt hij zich ineens, wedden?' vroeg Macy.

De meisjes zaten dicht bij elkaar, Kes had haar arm om Demi's schouders geslagen.

Ineens werd er geklapt en gejoeld. Op tv zagen ze Virginio voor de jurytafel staan. Hij keek heel zelfverzekerd.

Waarschijnlijk had de jury kritiek op hem, want er klonk boegeroep uit de zaal.

Lonneke stond gespannen op haar lip te bijten. 'Zorg jij dat er een noodfilmpje op scherp staat,' zei ze tegen de technicus. 'Ik ga even bij Roy kijken.'

De technicus stond op. Bij de deur keek hij nog even naar Sabrina. 'Zie ik je zo nog?' vroeg hij.

Sabrina glimlachte. 'Wie weet.'

'Word je al die kwijlende kerels niet een keertje zat?' vroeg Kes toen ze alleen waren.

'Jawel. Maar wat doe je eraan?' vroeg Sabrina hooghartig.

'Nou, dit.' Macy pakte haar bril en zette hem op Sabrina's neus.

'Harry Potter in een minirok!' Kes moest vreselijk lachen.

Sabrina hield de bril nog op ook. 'Jij wordt er toch ook moe van om altijd als strenge schooljuf behandeld te worden?' vroeg ze aan Macy.

'Jawel, maar wat doe je eraan?' herhaalde Macy.

'Nou, dit!' Kes trok haar stoere jack uit en hield hem voor Macy. Die trok hem zonder aarzelen aan.

'Wow,' fluisterde Demi. Zonder bril en met dat jack leek Macy wel een... ja, een wat eigenlijk?

'Paniek in de tent!' Met een gespannen gezicht kwam Lonneke terug. 'Jullie Roy is weer aan het overgeven. We hebben er een dokter bij gehaald, maar het is de vraag of die hem op tijd kan oplappen.'

Het duurde even voordat de boodschap doordrong.

'Dat gaan we dus niet redden,' zei Macy toen langzaam.

'Zielig,' vond Demi.

'Ja, zo kun je het ook bekijken,' zei Lonneke. 'Wat een gekloot!'

'Punt nl,' mompelde Kes.

'Nou, ik ga er weer even heen.' Lonneke had er duidelijk zwaar de pest over in.

Sabrina sloeg haar armen over elkaar. 'Ik baal er wel van!'

'Hij kan er toch niets aan doen?' vroeg Demi verontwaardigd.

De mensen in de zaal kregen nu een filmpje te zien over de winnaar van vorig jaar. Ze hadden hem thuis gefilmd en op school en ze lieten nog eens het liedje horen waarmee hij de finale had gewonnen. Hoe lang duurde zo'n filmpje? Vijf minuten?

'Wat moeten we nu?' vroeg Demi.

'Zeg maar dag met je handje tegen Belly B,' zei Sabrina.

Eigenlijk was ze erg lachwekkend omdat ze zo nijdig keek, terwijl ze die bril nog op had.

'Nee, hoor.' Macy keek naar Demi. 'Jij gaat zingen.'

22

Jij gaat zingen?

Ze leek het nog te menen ook. Demi lachte ongelovig. 'Niet dus, hè!'

'Nou,' zei Kes nadenkend. 'Ik dacht het wel, Deem.'

'Ja, why not, eigenlijk?' vroeg Sabrina.

'Ik pieker er niet over!' riep Demi verontwaardigd.

'Dat is toch hartstikke leuk!' zei Macy.

'Doe het dan lekker zelf!' Demi werd ineens heel erg bang.

'Je bent helemaal niet verlegen,' zei Macy. 'Dat was gewoon een verzinsel van Mark.'

Kes sloeg een arm om haar heen. 'Ja, net zoals het geboren popidool. En die staat nu dus te jeweetwellen.' Ze maakte een gebaar van overgeven.

'Jij zingt die zaal meteen plat. Hier is je grote kans,' zei Macy.

Sabrina schoof haar rokje naar beneden. 'Maar dan moet ze deze aan. Dit is veel meer een solo-rok.' Ze maakte Demi's rits open en trok haar rok uit, net alsof Demi een etalagepop was.

Demi liet het toe, stak zelfs haar handen omhoog om het Sabrina makkelijker te maken.

'Hier, stap er eens in.' Sabrina hield haar eigen rokje voor Demi's voeten.

Ineens werd Demi duizelig. Eerst dacht ze dat ze ging flauwvallen, maar dat was het niet. Het leek net alsof er heel veel mensen tegelijk tegen haar aan het praten waren. Niet alleen Kes, Macy en Sabrina, maar ook Robin. 'Jawel, natuurlijk ga je naar die auditie,' zei hij.

En Tiara: 'Demi, wij doen mee, jij bent achtergrondzangeres.'

Haar moeder: 'Geen denken aan, jongedame.'

Mark: 'Hoofd omlaag, je moet verlegen zijn!'

De stemmen werden steeds harder, Demi zag monden bewegen, ze liep geschrokken een paar stappen achteruit.

'Je moet dit, je moet dat!'

'Natuurlijk doe je het!'

Ze schudde bang met haar hoofd. Nog meer stemmen kwamen erbij, het leek wel een nachtmerrie.

En toen Roy: 'Jij bent geen schaduwmeisje, jij bent een zonnemeisje!'

'KOPPEN DICHT ALLEMAAL! IK BESLIS ZELF WEL WIE IK BEN EN WAT IK WIL!'

Die stem zat niet in haar hoofd, maar kwam keihard uit haar eigen mond. Ziezo!

Meteen trok de mist in haar hoofd op. De andere drie bleven zwijgend naar haar kijken. Langzaam trok Demi het sexy rokje van Sabrina omhoog. Ze friemelde extra lang aan de rits omdat ze zich ineens geen houding wist te geven.

'Zo!' Kes begon te lachen. Niet gemeen, maar eerder bewonderend.

'Oké, joh,' zei Macy sussend. 'Dan doe je het niet.'

'Ik zei toch dat ik het zelf beslis?' Demi schudde haar haren naar achteren. 'Ik doe het namelijk wél.'

Toen Lonneke er weer aankwam, stonden ze dicht bij elkaar, hand in hand.

'Niets zeggen, anders houdt ze ons tegen,' fluisterde Macy.

Demi had een buik van beton.

'Meiden, ik moet het afblazen, hij redt het niet,' zei Lonneke. 'Het gaat nu tussen Virginio en de Bassen.'

Lonneke draaide het microfoontje voor haar mond. 'Roy is afgevallen. Klets de tijd even vol. Interview de jury maar, of zoiets.'

De tune van Popzouten klonk, het filmpje was afgelopen.

'Ha, ha, ha!' Erik Hoes deed een poging om hartelijk te lachen.

‘Dames en heren, nu even iets heel anders. U zit daar wel zo comfortabel in de zaal, lekker ontspannen...’

‘Ik hou van jullie,’ zei Kes.

‘Ik wil je pet, ik heb behoefte aan stoer,’ zei Demi. Ze hijgde nu van angst, maar ze ging het écht doen.

Kes drukte de pet op haar hoofd.

‘Nu!’ riep Macy.

Hand in hand renden ze de tussenkamer uit, door de pikdonkere coulissen, naar het felle licht van het podium.

‘Hé, hé!’ riep Lonneke nog.

‘...maar hier zijn Roy en Belly B!!’ riep Erik Hoes verrast.

Het publiek juichte, de trommels begonnen te roffelen. Een snelle roffel was het, maar Demi’s hart ging nóg sneller, alsof ze kilometers gerend had.

Ik heb me vergist, dit kan ik helemaal niet, dacht ze.

Ze liep snel naar de anderen, maar Sabrina en Macy duwden haar zachtjes naar de microfoon.

Erik Hoes liep naar achteren om in de coulissen te kunnen kijken. ‘Dat wil zeggen: Hier is Belly B!’ riep hij toen.

Nu moest Roy eigenlijk neuriën.

‘*Mmm,*’ probeerde Demi, maar er kwam geen geluid uit haar keel.

Toen knalden de drums, één, twee...

‘Hup Deempie!’ riep Kes.

...drie, vier!

‘*I feel bub-bub-bubbles in my belly,*
everytime I think of you-ou!’

Was zij dat? Wat een bibberstemmetje, ze leek wel een tekenfilmfiguurtje!

It’s a funny feeling, freaky feeling, lovely feeling too...

Blijven bewegen, anders zien ze dat ik tril, dacht ze.

‘*So could you, could you, could you...*’ De zaal klapte niet mee. Stond ze voor gek?

Het refrein, nu kon ze gewoon de pasjes doen. Zou Roy ergens meekijken?

Volgende couplet.

Ehm...

Zestigduizend keer gehoord, en toch de tekst kwijt.

'*Doebidoebi, bubble, dm, dm, daaa,*' zong ze.

O ja.

'*It's a tiggle, it's a twiggle. Do you know what I mean?*'

Refrein. Kes en Macy zongen veel harder en feller dan normaal...

'*Mmm, mmm...*'

Slotakkoord...

Stilte.

Dat was het nou. Demi draaide zich langzaam om. Macy, Kes en Sabrina lachten naar haar. Drie verlegen meisjes.

Ze keek weer naar de zaal. Het bleef maar zo stil! Niet lekker rustig stil, maar verschrikkelijk, schreeuwend stil. Voorzichtig schoof ze de microfoon weer in de standaard. Pok, pok, dreunde het. De technicus was vergeten hem uit te zetten.

Ze zijn kwaad, dacht Demi paniekerig. Daarom klappen ze niet. En nu? Weglopen dan maar?

Erik Hoes stond er ook bij alsof hij op pauze was gezet.

Demi keek weer om. Macy haalde haar schouders op.

Toen hoorde ze Nico. 'BRAVO!' Heel duidelijk, alsof hij gewoon achter de bar stond en zij een colaatje bij hem dronken. Het leek wel of hij daarmee een lontje aanstak. Een lontje van een enorme applausbom.

Het barstte los, het denderde en donderde. Er werd geschreeuwd, de hele zaal stond op, mensen klapten met hun handen boven hun hoofd.

Kes en Macy gaven haar een hand.

'Je zou er nog verlegen van worden,' fluisterde Kes.

'Buigen,' zei Sabrina.

En dat deden ze, precies tegelijk. Pok, Sabrina's bril viel op de grond. Met hun gezichten omlaag moesten ze daar alle vier vreselijk om lachen. Vier meisjes van Belly B. Niks geen Stuud of Stoer of Sexy of Schaduw, maar gewoon, vier meisjes met de S van Speciaal.

23

'Tja, ik zit nog even met mijn mond vol tanden,' zei Angie Brim.

In de zaal was het weer muisstil. Iedereen was natuurlijk razend benieuwd naar wat de jury te zeggen had.

Demi stond te tollen op haar benen. Haar hoofd suisde, het leek wel of ze in een achtbaan zat, net midden in een looping. Erik Hoes sloeg zijn arm om haar schouders en schaterlachte. Bah, hij stonk naar oud zweet.

'Demi,' zei Tim Plavei langzaam. 'Ik eh, ik kan nu gaan zeggen dat je zang echt briljant was en je uitstraling onweerstaanbaar charmant. Maar het belangrijkste is: je hebt iets heel aparts in je. We hebben het vroeger wel eens gehad over de x-factor. Nou, die heb jij en daarom denk ik dat jij heel ver gaat komen.'

Bert Vlaminck knikte instemmend. 'Ik heb er zó van genoten, ik zat echt vast in mijn stoel. Het was helemaal goed!' Hij stak twee duimen op.

'Woehoe!' joelde Kes.

De mensen in de zaal applaudisseerden maar weer eens.

Ik sta alleen maar dom te lachen, dacht Demi.

Sabrina trok haar van Erik Hoes weg en sloeg een arm om haar heen.

'Maarrrr...' zei Tim Plavei.

'Inderdaad: maarrr...' Bert Vlaminck keek ineens bedenkelijk.

Angie Brim knikte.

'Jíj bent niet door de selectierondes gekomen. Dat was namelijk Roy. En ook niet door de halve finale, dat was ook Roy.' Tim Plavei keek naar Erik Hoes. 'Ik weet eigenlijk niet...'

'Aah, niet flauw gaan doen!' riep Kes. 'Het was echt geen opzet van ons. Roy werd gewoon misselijk.'

Gelach in de zaal.

'Het spijt me,' zei Bert Vlaminck vastbesloten. 'Jullie deelname is ongeldig.'

Meteen klonk er gebrul vanuit de zaal, het leek wel of er een kudde van duizend koeien aan het loeien was.

'U zult...' begon Erik Hoes.

'BOEH!'

'Natuurlijk hebt u...'

'BOEH!'

'Ha, ha, ha!' Erik Hoes bleef dapper lachen. 'We gaan er even uit!' zei hij toen. 'Na de reclame wordt er gestemd. Blijf kijken!'

Dat was voor de kijkers thuis. De mensen in de zaal kregen snel een vrolijk filmpje te zien waarop de auditiebanden vertoond werden.

In de artiestenfoyer zaten de Bassen en Virginio en Mark. Roy was nergens te bekennen.

Mark kwam als eerste op hen af. 'Wat ben ik blind geweest!' Hij wees naar Demi. 'Vlak voor mijn ogen en ik heb het niet gezien.' Hij schudde zijn hoofd over zo veel domheid.

'Feliciteer ons maar!' zei Macy.

'Ja, ja, ja!' zei Mark, maar hij deed het niet. 'Voor hetzelfde geld had ik je nooit ontdekt!' zei hij.

De meisjes stonden nog steeds hand in hand op een klein kluitje. Af en toe schoot een van de vier weer in de lach. En dan zei een ander weer: 'Ongeldig, pûh!'

De Bassen kwamen feliciteren, allebei gingen ze eerst naar Demi en daarna pas naar de anderen.

Ik ben volgens mij al drie kwartier aan het glimlachen, dacht Demi.

Toen legde iemand van achteren zijn handen voor Demi's ogen.

Roy!

Maar nee, het was Virginio. 'Te gek!' zei hij. 'Ik dacht nog wel dat jij heel erg verlegen was.'

'Ben je mal!' riep Kes, terwijl ze naar Mark keek. 'Als er iemand niet verlegen is, dan is het Demi wel!'

'Gewoon niet gezien,' zei Mark, nog steeds verbijsterd over zijn eigen stomheid.

'Virginio en de Bassen: podium alsjeblieft!' klonk hard door de intercom.

'De uitslag!' riep Kes. 'Kom, ik wil het op de televisie zien.'

'Succes jongens!' zei Sabrina met een betoverende glimlach.

Popzouten kreeg een slap en haastig einde. De meisjes van Belly B volgden het op de televisie in de artiestenfoyer.

Op het podium zaten Virginio en de Bassen. Ze keken alsof ze straf hadden. Samen met Erik Hoes keken ze naar het scorebord waarop langzaam maar zeker de uitslag bekend werd.

'Ook zielig voor hen eigenlijk,' zei Demi.

'Zo moet je het niet zien,' zei Mark, die erbij was komen staan. 'Dit wordt een gigantische rel. En een rel is goed voor de publiciteit. Iedereen praat erover en vindt er iets van. Al jullie namen zullen hoe dan ook door het land gonzen. En dat is toch wat we willen? Deze avond heeft alleen maar winnaars!'

En één dikke, vette verliezer, dacht Demi. 'Waar is Roy?' vroeg ze.

'Nico heeft hem naar huis gebracht,' antwoordde Mark.

'Ik krijg net door dat achtenzeventig procent van de mensen hun klikkertjes niet hebben gebruikt,' zei Erik Hoes. 'Dat zijn waarschijnlijk Belly B-fans.'

Applaus, voetengestamp, gefluit, gejoel...

'Ha, ha, ha! Maar van degenen die wel gestemd hebben, drukten er veertig procent op groen voorrrr... de Bassen!'

Er werd geklapt, het leek wel of er maar een stuk of tien mensen in de zaal zaten.

'Dat wil zeggen dat de winnaar van dit jaar, met achtenveertig procent op groen...' Hij wachtte heel lang om het spannend te maken, alsof de uitslag niet allang duidelijk was.

'...Virginio!'

Weer zo'n mager applausje.

'Achtenzeventig procent voor ons, dus,' mompelde Mark.

'Wow, Demi!' riep Macy.

'Nou, bedankt,' zei Virginio vriendelijk. Hij liep naar Erik Hoes toe, nam de beker aan en hield hem voor de camera. 'Demi, hij is voor jou!' zei hij.

En toen kreeg hij wel een applaus als een aardbeving.

'O jee, daar moet ik van huilen,' piepte Demi.

Kes dook meteen boven op haar. 'De S van Slappe Hap!'

Toen was er feest. Met familie en vrienden en alle kandidaten van de halve finale en daar ook weer familie en vrienden van. En met Mark, Nico, mevrouw Dirkje, Tanja en Maria. En Lonneke en de eeuwig lachende Erik Hoes natuurlijk.

Er stonden hapjes en champagne en er flitsten aan de lopende band camera's. Alle aandacht ging naar de ongeldige deelnemers. Ze begonnen braaf met z'n vieren op een rijtje, maar al snel werden ze uit elkaar gedreven. Demi droeg nog steeds Sabrina's rokje en de pet van Kes. Ze knikte en lachte en gaf antwoord op de domste vragen. ('Gebruik je voor zo'n spannend optreden een extra sterke deodorant?')

Achter zich hoorde ze Mark zeggen: 'Ze is absoluut een natuurtalent en ik had het niet in de gaten.'

Wel eerlijk van hem. Demi loerde om zich heen. Waar waren de andere meisjes? En waar zou Roy zijn?

'Mama heeft alles gemist.' O, haar vader stond weer naast haar. 'Ze deed haar handen voor haar ogen zodra je begon te zingen en ze durfde pas weer te kijken na het buigen,' vertelde hij.

'Die stijlenmix was echt subliem!' riep Robin.

'Hebben jullie al plannen voor een hele cd?' vroeg een verslaggeefster tegelijkertijd. Mevrouw Dirkje gaf een antwoord dat Demi niet verstond.

'Psst, Deem.' Kes had zich naast haar geperst. 'Zeg dat je naar de wc moet en ren naar de kleedkamer boven.'

'Voelt Roy zich nou niet gebruikt?' vroeg iemand. Ze kon niet eens zien wie.

'Ik moet even naar de wc,' zei ze snel.

24

De andere drie waren al in de kleedkamer. Ze zaten op de grond, knie aan knie aan knie, net als in het bubbelbad.

'Wat gaan we doen?' vroeg Demi terwijl ze ertussen ging zitten.

'De echte finale,' zei Sabrina.

Roy!

'We moeten hem bellen.' Macy gaf haar mobiel aan Demi. 'Hier, toets jij het nummer maar in.'

'Nee, gek.' Demi legde snel het mobieltje op de grond, alsof het te heet was om vast te houden.

'Kom maar,' zei Kes. Ze bleek het nummer van Roy uit haar hoofd te kennen.

'Niet aan mij geven, hoor!' siste Demi. 'Ik weet niet wat ik moet zeggen.'

Maar hij was er niet. Tenminste, hij nam niet op. Ook niet op zijn mobiel.

'Jammer,' zei Macy.

'Ja, heel jammer,' zei Demi opgelucht.

'Dan gaan we erheen.' Kes stond al op.

'Dat kan niet, dan worden we meteen achtervolgd door de pers,' zei Macy.

'Ik bel Nico wel.' Sabrina pakte haar eigen mobiel. Er volgde een spannend gesprek over gierende banden en wegscheuren en afschudden. 'Geregeld,' zei ze uiteindelijk. 'Hij staat over vijf minuten met zijn busje bij de artiesteningang.'

'Ik durf niet, hoor!' riep Demi bang.

'Waar heb ik dat vaker gehoord...' Kes deed alsof ze heel diep nadacht.

‘Maar, wat zéggen we dan tegen hem?’ vroeg Demi voor de zoveelste keer.

‘We gaan hem oppeppen,’ zei Sabrina. ‘Troosten, ondersteunen...’

‘Ja ja, jij wel.’ Kes lachte spottend.

‘Ik wil mijn gewone kleren aan.’ Macy stond op, pakte haar witte bloes en gooide Demi’s spijkerbroek naar haar toe.

‘Ik trek mijn rokje weer aan,’ zei Sabrina. ‘Vind ik lekkerder zitten.’

‘Ja hoor!’ zei Kes. ‘Dat zit echt heerlijk, zo’n strakke wikkel om je kont en van die heipalen onder je voeten!’

Sabrina liep lachend naar de spiegel. ‘Even bijglossen.’

‘Hij heeft toch wel wat anders aan zijn hoofd dan onze verliefdheid?’ vroeg Demi, terwijl ze haar broek aantrok.

‘We merken het wel,’ zei Macy. ‘Kom, we gaan!’

Zo zacht mogelijk renden ze door de gangen naar de artiesteningang. Kes kreeg nog even de slappe lach omdat Sabrina eigenlijk niet kon rennen op die hakken, en uiteindelijk kwamen ze er, zonder dat een of andere journalist hen ontdekte. Het feest was zo te horen nog in volle gang.

Macy opende voorzichtig de deur. ‘Hij staat er,’ fluisterde ze. ‘Eén, twee, drie!’

Achter elkaar renden ze naar het busje. Ze persten zich met z’n vieren op de voorbank, deur dicht en gas!

Nico begon meteen te zingen. ‘*En we gaan nog niet naar huis!*’

Hij is echt altijd vrolijk, dacht Demi.

‘Nico, je bent geweldig!’ riep Kes.

‘Dank u, dank u,’ zei Nico.

Hij reed keihard en keek steeds in zijn spiegeltje, maar het leek erop dat ze niet gevolgd werden.

‘We lijken prinses Diana wel,’ zei Sabrina.

‘Vier prinsessen en maar één droomprins.’ Kes ademde tegen

de ruit en tekende een hartje waar ze vier pijltjes doorheen trok. De pijltjes begonnen meteen te druppelen.

'Hebben jullie al eens eerder liefdesverdriet gehad?' vroeg Demi.

Nee, Sabrina natuurlijk niet. Macy ook niet en Kes 'zo vaak'.

'En?' vroeg Demi gespannen.

'Je denkt dat je doodgaat,' zei Kes. 'Maar zoals je ziet, blijkt dat toch altijd mee te vallen.'

'Nico, moet je eens horen,' begon Macy, en toen vertelde ze het verhaal van hun verliefde huppelclub.

Toen ze klaar was, zat hij te bulderen van de lach. 'Die Roy! Zal je net zien dat hij op jongens valt! Of dat hij al játo op zijn buurmeisje is.'

'Nee Nico, hij moet een van ons kiezen, want wij vertegenwoordigen met zijn vieren alle types,' zei Macy streng.

'O ja, natuurlijk,' zei Nico en hij schoot weer in de lach.

'Maar we gaan het er nu niet over hebben, hoor!' zei Demi. 'Zijn hoofd staat helemaal niet naar ons. We moeten hem nu gewoon troosten.'

'HAHAHA!'

'Nico, let op je stuur!' riep Macy.

Na tien minuten minderde Nico vaart. 'Dames, we zijn bij het huis van jullie bruidegom.'

Demi keek naar buiten. Het huis zag er donker en verlaten uit. Bij de buren verschoof het gordijn, er stond duidelijk iemand naar buiten te gluren.

Nico schoof de deur vast open.

'Misschien is hij er niet eens,' zei Macy.

Ook bij de andere buren werd het gordijn een stukje opengeschoven.

'Kan het licht in het busje aan?' vroeg Sabrina. 'Dan weet hij dat wij het zijn.'

Nico schudde zijn hoofd. 'Ik durf te wedden dat er journalisten in de bosjes liggen,' zei hij. 'Die denken nu dat wij ook journalisten zijn. We moeten hopen dat Roy even naar buiten gluurt, hij herkent het busje wel.'

'Tss, hij lijkt wel een Amerikaanse filmster!' zei Kes.

'Een populaire popster die van zijn voetstuk valt, daar smullen de mensen van,' legde Nico uit.

'Bah, wat gemeen,' zei Demi.

Ze bleven gespannen naar de gesloten gordijnen turen.

'Misschien is hij wel op meer dan een van jullie verliefd,' zei Nico plagerig.

'Dan hoef ik hem meteen niet meer.' Kes had een platte neus, zo dicht zat ze tegen het raam aan.

'Nou, ik vind dat zo gek nog niet,' zei Sabrina nadenkend. 'Kan ik er zelf ook eentje bij nemen.'

'Stil! Daar is hij!' riep Macy ineens.

Het gebeurde razendsnel: Roy rende in drie, vier stappen van de voordeur naar het busje, béng, deur dicht en daar was hij.

Roy Superboy...

'Hé Belly B.' Hij ging op de stoel achter Nico zitten.

Demi wist dat ze naar hem staarde, maar ze kon er niet mee stoppen.

Zijn haar zat in de war en hij had een vreselijk suffe bloes aan. Maar toch, in het flauwe schijnsel van de lantaarnpaal was hij zo mooi en zo lief, dat Demi er niet van kon ademen.

Niemand zei iets. Zelfs Kes zat met haar grote mond vol tanden.

Nico brak het ijs. 'De geheime vergadering is achterin,' riep hij. 'Ik wil even geen gekakel aan mijn kop!'

25

De meisjes kropen naar de achterbank en Roy ging achterstevoren op de bank ervoor zitten. Het dichtst bij Sabrina. Hij hád de bank ernaast kunnen kiezen, dan had hij het dichtst bij Demi gezeten.

'Hoe gaat het, Roy?' vroeg Macy eindelijk.

Roy begon meteen te vertellen. Hij had na de eerste week al tegen Mark gezegd dat hij wilde stoppen. Maar Mark had constant op hem ingepraat en gezegd dat het wel zou wennen. Nou, niets was minder waar.

'Ik ben acht kilo afgevallen en ik zit onder de slaap- en kalmeringspillen,' zei hij. 'Ik kan misschien wel leuk zingen, maar al die toestanden eromheen...' Hij rilde. 'Ik wil dit hele gedoe zo snel mogelijk vergeten.'

'En dan?' vroeg Macy.

'Ik ga gewoon mijn school afmaken en dan word ik veearts, net zoals mijn vader. Laat de koeien maar boe roepen.'

'En de kippen applaudisseren,' zei Kes.

Hij knikte en keek toen naar Demi. 'Tjemig, wat kun jij zingen zeg! Mag ik je handtekening?'

Ze moesten alle vier keihard lachen, alsof het de bak van de eeuw was.

'Mark gaat tegen de pers zeggen dat ik ineens ontdekte dat jij veel beter was,' zei Roy toen. 'Dus dat ik me vrijwillig heb teruggetrokken. Dat is niet zo'n afgang, snap je. Vinden jullie dat goed?'

'Natuurlijk!' riepen ze.

Roy was duidelijk opgelucht. 'Ik moet nu gewoon een week met een zak over mijn hoofd lopen zodat niemand me herkent, en dan zijn ze me al vergeten.'

'Jammer, die zak over je hoofd,' zei Sabrina zwoel.
Oei, ander onderwerp.
Kes giechelde.
Macy schraapte haar keel.
Demi wilde dat zíj een zak over haar hoofd mocht trekken.
'Roy,' begon Macy. 'Wij moeten je iets vertellen...'

Hij keek haar open en vol verwachting aan.
Nee, dacht Demi. Slik het in, trek het terug, praat eroverheen!!
Kes ademde weer op de ruit en tekende vier blokjes naast elkaar, alsof er een meerkeuzevraag ingevuld moest worden.
'Het is namelijk zo dat wij alle vier verliefd op je zijn geworden,' zei Macy plechtig.
'Nou, niet geworden, we zíjn het gewoon,' zei Kes meteen.
'Wat maakt dat nou uit?' vroeg Macy.
'Ik vind het gek klinken,' zei Kes, '*geworden*. Dan moet je zeggen: "geworden en gebleven."'
'Lekker romantisch klinkt dat, ja,' zei Macy.
'Stil nou even!' riep Sabrina.
Nu pas durfde Demi naar Roy te kijken.
'Op mij??' vroeg hij. Hij was stom-stom-stómverbaasd, dat was duidelijk. 'Jij dus ook?' vroeg hij aan Demi.
Ze keek hem een fractie van een seconde aan. Oei, die ogen! Ze knikte kort.
'En jij ook?' vroeg hij aan Kes.
Kes knikte trots.
Hij keek naar Sabrina.
'Yesss,' zei ze.
Stilte.
'En ik dus ook,' zei Macy snel.
'Ja, van jou wist ik het wel,' zei Roy.
'Hè?!' riepen ze alle vier.
'Nee hoor, grapje.'
De andere drie joelden terwijl Macy haar bloes over haar hoofd probeerde te trekken.

‘Tja,’ zei Roy toen onhandig.

Op de voorbank begon Nico te zingen. ‘*I feel bub-bub-bubbles in my belly. Everytime I think of you!*’

Dat had hij nou net niet moeten doen. Roys gezicht vertrok onmiddellijk, alsof hij een pijnaanval kreeg.

‘Weet je,’ zei hij terwijl hij al opstond, ‘ik ben door een hel gegaan, de afgelopen weken. Ik heb jullie amper in de gaten gehad. Sorry, maar ik wil hier gewoon een dikke streep onder zetten. Ik wil met dat hele bubble-gedoe niets meer te maken hebben.’

Hij liep achteruit naar de deur. ‘Sorry,’ zei hij nog eens. ‘Jullie zijn verliefd geworden op iemand die verzonnen is door Mark de Bont. Ik ben gewoon Roy, weet je.’

Hij twijfelde nog even, opende toen de deur en verdween.

Stilte.

Gelukkig was Nico zo tactvol om niet te lachen.

‘Pèp!’ Kes deed precies de toeter van Popzouten na.

Dat was het dan, dacht Demi verbaasd.

‘Het dringt nog niet zo tot me door,’ zei Macy langzaam.

‘Bij mij ook niet.’ Demi legde haar hand op haar hart. Zo klopte dus een gebroken hart, heel rustig, heel gewoon.

‘En jij, miss world?’ vroeg Kes aan Sabrina.

‘Ja, jammer, hoor!’ zei Sabrina. Toen boog ze zich geheimzinnig naar hen toe. ‘Ik moet jullie iets vertellen,’ fluisterde ze. ‘Weten jullie die technicus nog? Niet die lange, maar die met die dreads?’

De anderen keken haar met open mond aan. ‘Sabrina met de S van Slettebakje!’ zei Kes langzaam.

Beng, de deur werd opengesmeten en flits, flits, daar waren de fotografen.

‘Nico, gas!’ riep Macy.

Nico startte en scheurde weg.

‘Hebben ze dat gehoord?’ fluisterde Sabrina nog benauwd.

Langzaam reed Nico terug naar de Bavo-hal.

Demi leunde achterover en legde haar hoofd op Kes' schouder. 'Waarschijnlijk word ik morgen heel verdrietig wakker,' zei ze. 'Maar nu voelt alles nog goed.'

'Misschien waait het wel gewoon over,' zei Kes. 'Dat kan ook, hoor!'

Macy had haar arm om Sabrina heen geslagen.

'We gaan toch wel door met elkaar, hè?' vroeg ze.

'*Ik heb een potje met vet!*' begon Nico.

'Natuurlijk!' riep Kes. 'We gaan op tournee, met ons schaduwmeisje in de spotlights.'

Demi schudde haar hoofd. 'Dat is echt niets voor mij!'

'O, nee?' vroeg Macy. 'Misschien heb je wel een verkeerd beeld van jezelf.'

Ja, daar zou je best wel eens gelijk in kunnen hebben, dacht Demi tevreden.

Belly B, that's me!

Doe de WHO-R-U-test

EN JE WEET WELKE VAN DE VIER TYPES JIJ BENT!

1 *Als je gaat shoppen, ben je te vinden in:*
a Niet van toepassing: ik háát winkelen.
b Kleine, aparte kledingzaakjes.
c In gewone kledingzaken.
d Winkels met leuke spulletjes, boekwinkels, cd-winkels...

2 *Stel, je valt van je fiets. Wat doe je dan?*
a Ik kijk of ik er een beetje mooi bij lig, en blijf dan rustig wachten totdat er een charmante redder komt die me overeind helpt.
b Ik kijk of ikzelf niet al te zeer gewond ben, dan onderzoek ik mijn fiets, dan kijk ik of ik de oorzaak van de val kan ontdekken.
c Ik sta zo snel als ik kan weer op, grijp mijn fiets en rij keihard weg, ook al heb ik nog zo'n pijn.
d Ik geef alles en iedereen de schuld, schop tegen mijn fiets en stap vloekend en tierend weer op.

3 *Je krijgt een Valentijnskaart in je bus, en je hebt geen idee wie de afzender is. Wat doe je dan?*
a Ik schrik me rot en ik vraag me af wie er in hemelsnaam aan míj een Valentijnskaart heeft gestuurd.
b (Gaap) Ik leg hem op mijn Valentijnskaartenstapel.
c Ik bestudeer het handschrift om de afzender te achterhalen.
d Ik stop hem terug in de envelop en duw hem als grap bij mijn beste vriendin in de bus.

4 *Het is de eerste dag van de zomervakantie. Wat ga je doen?*
a Ik zet een pot thee, koop een kilo drop en ga eindelijk dat heeeerlijke nieuwe boek in één ruk helemaal uitlezen.
b Met mijn beste vriendin een paar uur tutten voor de spiegel, dan naar het strand of naar een terrasje, en 's avonds natuurlijk uit.
c Iets gezelligs met mijn moeder, bijvoorbeeld een appeltaart bakken.
d Naar de skatebaan natuurlijk.

5 *Van welke dieren hou je het meest?*
a Witte paarden.
b Konijntjes.
c Uilen.
d Vleermuizen.

6 *Doe je aan sport?*
a Natuurlijk, van sporten blijf je gezond.
b Ja, skaten, voetballen, judo.
c Dat ligt eraan wat je onder sporten verstaat...
d Ik wandel graag.

7 *Wat zijn jouw favoriete tv-programma's?*
a Sex and the city en Lizzy McGuire.
b Griezelfims, horror, thrillers.
c Ik kijk nooit tv, alleen het journaal.
d Romantische films, tekenfilms.

8 *Ben je wel eens verliefd geweest?*
a Jawel, maar niemand weet dat.
b Nee, ik wil me pas na de middelbare school met vriendjes bezighouden.
c Zo vaak, ik val altijd op rare types.
d Ben ik wel eens niet verliefd?

9 *Hoe ziet jouw favoriete verjaardagsfeest eruit?*

a Gewoon thuis met een stuk of vijf vriendinnen, met veel lekkere hapjes en drankjes.

b Een slaapfeest, met een speurtocht om twee uur in het bos.

c Met een stel vrienden en vriendinnen ergens naartoe, een film of een museum of allebei.

d Een groot feest, allemaal leuke mensen, drank, muziek en dan dansen (en zo...).

10 *Wat vind jij belangrijk in het leven?*

a Jezelf ontwikkelen, vrede in de wereld.

b Gezondheid, gezelligheid.

c Leuk eruitzien, feesten.

d Pret maken, doen wat je zelf wilt.

OPLOSSINGEN

1	3	5	7	9
a – 3	a – 1	a – 4	a – 4	a – 1
b – 4	b – 4	b – 1	b – 3	b – 3
c – 1	c – 2	c – 2	c – 2	c – 2
d – 2	d – 3	d – 3	d – 1	d – 4

2	4	6	8	10
a – 4	a – 2	a – 2	a – 1	a – 4
b – 2	b – 4	b – 3	b – 2	b – 1
c – 1	c – 1	c – 4	c – 3	c – 2
d – 3	d – 3	d – 1	d – 4	d – 3

TEL JE PUNTEN BIJ ELKAAR OP EN KIJK WIE JIJ BENT!

40: Sabrina / 30: Kes / 20: Macy / 10: Demi

HOE HOOG IS JE SCORE?

10-16 PUNTEN
Jij bent een echte Demi: type stil schaduwmeisje.

Je doet je uiterste best om niet op te vallen en je bent gevoelig, misschien zelfs overgevoelig. Er zit een diepe schoonheid in jou verborgen.

Tip: *Koester je kracht! Je verlegenheid is een schild om je gevoeligheid te beschermen!*

17-24 PUNTEN
Je lijkt het meest op Macy: type slimme stuud.

Jij vindt het belangrijk om je te ontwikkelen, je geeft niet zoveel om uiterlijk vertoon. Je bent geïnteresseerd in de wereld en de mensen om je heen, nieuwsgierig en leergierig.

Tip: *De term stuudje heeft een negatieve bijklank, trek je daar niets van aan! Voed je honger naar kennis, beschouw je intelligentie als een talent.*

25-31 PUNTEN
Duidelijke zaak, jij hoort bij Kes: type stoer schoffie.

Als iedereen A zegt, zeg jij ongetwijfeld B. Je houdt van geintjes en van tegen de regels ingaan. Je verkent graag grenzen en loopt altijd naast de betreden paden.

Tip: *Blijf je eigen gang gaan. Dwarsliggers houden de trein op de rails!*

32-40 PUNTEN
Duidelijke zaak, jij bent een echte Sabrina: type sexy schoonheid.

Jij hebt (zoals dat heet) honing aan je kont. Je vindt je uiterlijk vreselijk belangrijk en je bent een echte jongensgek. Je houdt van uitgaan en van ongegeneerd flirten.

Tip: *Vertrouw op je gevoel, als er een alarmbel afgaat bij verkeerde jongens: omdraaien en 'mooi' wegwezen!*